JN209047

2019年改訂

高尿酸血症・痛風の治療ガイドライン

編集 日本痛風・尿酸核酸学会
ガイドライン改訂委員会

第3版

2022年追補版

Guideline for
the management of
hyperuricemia and gout

追補版発刊に寄せて

食生活の欧米化と飽食の時代が近年の高尿酸血症・痛風患者数の増加に大きく影響し，高尿酸血症・痛風は“ありふれた生活習慣病”となりました．痛風患者は経年的に増加し，2019年の国民栄養基礎調査では125万人，高尿酸血症患者も1,000万人と推定されています．高尿酸血症は痛風・尿路結石・腎障害のリスクのみならず，脳心血管イベントリスクである可能性が示唆され，2020年から始まった循環器病対策推進基本計画に高尿酸血症は循環器疾患のリスクとなる生活習慣病として記載されています．一方で高尿酸血症・痛風は合併症が多岐にわたっています．多くの診療科が高尿酸血症・痛風診療を担当するという特徴があるために，各科で治療方針に違いがあることは容易に想像できます．そこで国民が均質な医療を享受するためのよりどころの1つとしてガイドラインが必要であり，日本痛風・尿酸核酸学会では，『高尿酸血症・痛風の治療ガイドライン』第1版を2002年に，第2版を2010年に，そして第3版を2018年に発刊して，わが国における高尿酸血症・痛風の診療の標準化に貢献しました．本冊子は，『高尿酸血症・痛風の治療ガイドライン（第3版）』（以下『第3版』）の追補版です．

『第3版』は「7つのクリニカルクエスチョンに対する推奨文」と「高尿酸血症・痛風の診療マニュアル」から構成されています．クリニカルクエスチョンを作成しGRADE法に則して網羅的文献検索に基づいたエビデンスの収集と治療の益と害のバランスの評価に加え，患者の価値観や希望ならびに医療経済の観点も考慮して推奨文を作成しました．今日，ガイドラインは発刊後にその医療への効果をモニタリングすることが求められています．そのために『第3版』の発表後に日本痛風・尿酸核酸学会が調査した普及状況とその効果が評価されました．2020年に米国リウマチ学会から痛風診療ガイドラインが発刊され，わが国ではガイドライン作成法の改訂が示され，今後の本ガイドラインの課題も見えてまいりました．また2019年に高尿酸血症・痛風治療の新しい尿酸排泄促進薬である選択的尿酸再吸収阻害薬ドチヌラドが使用可能となりましたが，これらを含めてガイドラインを加筆修正する必要性が生じました．しかし，ガイドラインをアップデートする時期ではないと考えられましたので，本追補版を作成しました．［第1章 総論1］として『第3版』の現状と課題を，［第1章 総論2］として上述のモニタリングの結果を示して本ガイドラインの効果を記載し，また「高尿酸血症·痛風の診療マニュアル」の治療の章に，ドチヌラドに関連した加筆修正を行っています．

追補版加筆修正にあたっては，選択的尿酸再吸収阻害薬ドチヌラドが加わったことを勘案し，①尿酸降下薬の薬理学的分類とそれぞれの特徴を記載する，②尿酸排泄促進薬一般として捉えられるところにドチヌラドを追記する，③ドチヌラドの国内での承認データをエビデンスとした特徴を記載する，ことで対応しました．なお，尿酸排泄促進薬の分類については本書に限定したものであり，今後の評価が必要です．またCARES研究についても言及しました．

ガイドラインは重要な医療行為に対して患者と医療者の意思決定を支援するために最適と考えられる推奨文と定義されています．良質な診療を行う補助として，臨床の現場で個々の症例に応じた個別の判断が下される際に用いる参考資料です．日常診療を束縛するものではありません．『高尿酸血症・痛風の治療ガイドライン（第3版）』およびこの追補版が臨床の現場で適正に活用され，1人でも多くの患者さんと医療従事者の診療の意思決定に役立ち，1人でも多くの患者さんが良質な医療を享受できることを願います．

2022年1月

一般社団法人　日本痛風・尿酸核酸学会
『高尿酸血症・痛風の治療ガイドライン（第3版）』
改訂委員長　**久留一郎**

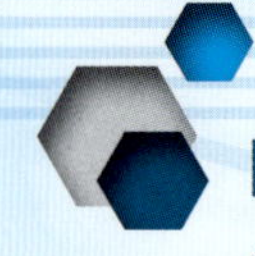

『高尿酸血症・痛風の治療ガイドライン　第3版［2022年追補版］』執筆者一覧

(50音順，敬称略，*…日本痛風・尿酸核酸学会　理事長，**…副理事長)

作成主体

一般社団法人　日本痛風・尿酸核酸学会（旧：日本痛風・核酸代謝学会）

ガイドライン作成組織

改訂委員長	久留　一郎**	国立病院機構米子医療センター　特命副院長
改訂副委員長	市田　公美**	東京薬科大学薬学部病態生理学教室　教授
	嶺尾　郁夫	ペガサス馬場記念病院糖尿病科　部長

査読（本書の新規項目）

市田　公美**	東京薬科大学薬学部病態生理学教室　教授
荻野　和秀	鳥取赤十字病院　副院長
佐藤　康仁	静岡社会健康医学大学院大学社会健康医学研究科　准教授
筒井　裕之	九州大学大学院医学研究院循環器内科学　教授
中山　健夫	京都大学大学院医学研究科社会健康医学系専攻健康情報学分野　教授
久留　一郎**	国立病院機構米子医療センター　特命副院長

執筆

安西　尚彦	千葉大学大学院医学研究院薬理学　教授
石坂　信和	社会福祉法人同愛記念病院財団同愛記念病院
内田　俊也	帝京平成大学ヒューマンケア学部・国際交流センター　教授
太田原　顕	独立行政法人労働者健康安全機構山陰労災病院高血圧内科　部長
大野　岩男	東京慈恵会医科大学　客員教授
大屋　祐輔	琉球大学大学院医学研究科循環器・腎臓・神経内科学　教授
荻野　和秀	鳥取赤十字病院　副院長
金子希代子*	帝京平成大学薬学部　教授
久保田　優	元　龍谷大学農学部食品栄養学科　特任教授
藏城　雅文	大阪市立大学大学院医学研究科代謝内分泌病態内科学　講師
小林　慎	クレコンメディカルアセスメント株式会社　取締役最高業務責任者
竹内　裕紀	東京医科大学病院薬剤部　薬剤部長
谷口　敦夫	公益財団法人結核予防会複十字病院膠原病リウマチセンター　センター長
土橋　卓也	社会医療法人製鉄記念八幡病院　理事長
筒井　裕之	九州大学大学院医学研究院循環器内科学　教授
堤　善多	堤医院　院長
寺井　千尋	自治医科大学　客員教授
浜田　紀宏	鳥取大学医学部地域医療学講座　准教授
東　幸仁	広島大学原爆放射線医科学研究所ゲノム障害医学研究センターゲノム障害病理研究分野再生医科学研究部門　教授
久留　一郎**	国立病院機構米子医療センター　特命副院長
藤森　新	両国東口クリニック　名誉院長

細山田　真	帝京大学薬学部人体機能形態学　教授
真野　俊樹	中央大学大学院戦略経営研究科　教授
嶺尾　郁夫	ペガサス馬場記念病院糖尿病科　部長
森崎　裕子	公益財団法人日本心臓血圧研究振興会附属榊原記念病院総合診療部臨床遺伝科　医長
山内　高弘	福井大学医学部病態制御医学講座内科学（1）　教授
山口　　聡	医療法人仁友会北彩都病院　副院長
山下　浩平	京都大学大学院医学研究科血液・腫瘍内科学　准教授

目 次

第1章 総 論

第2章 治 療

付 録

web 版資料（追補版）

以下の web 版資料は一般社団法人　日本痛風・尿酸核酸学会ホームページにて掲載する.
［https://www.tukaku.jp/］

追補版の概要と『高尿酸血症・痛風の治療ガイドライン（第3版）』との対応

『高尿酸血症・痛風の治療ガイドライン（第3版）』（以下，『ガイドライン（第3版）』）の発表後，関連する新たな知見や重要な進展が国内外で得られている．この度，追補版を発刊するに至り，その背景と加筆した要点を以下にまとめる．

2020年に米国リウマチ学会（ACR）から痛風管理ガイドラインが発表された．わが国の『ガイドライン（第3版）』と比較して，痛風に関しては両者に共通点が多いが，高尿酸血症に関しては相違点がある（第1章 総論　1［p.2］参照）．両ガイドラインは共にGRADE法で作成されているが，時代とともに診療ガイドラインのあり方は変化している．『ガイドライン（第3版）』で用いた日本医療機能評価機構EBM医療情報事業（Minds）の作成マニュアルは，2020年にver.2.0からver.3.0へ更新された．次期ガイドラインの課題として，ver.3.0では患者の価値観や希望並びに医療経済の観点が強化されている点を記載した（第1章 総論　1［p.2］参照）．

ガイドラインは，発刊後に医療への効果をモニタリングすることが義務付けられている．そのために『ガイドライン（第3版）』の発表後に日本痛風・尿酸核酸学会が行った広報活動とアンケートを通じて調査した普及状況を記載した（第1章 総論　2［p.6］参照）．

『ガイドライン（第3版）』でシステマティックレビューした文献の対象期間後に，重要な3編のランダム化治療介入研究結果が発表された．これらの成績を踏まえて，関係箇所に加筆した（第2章　治療　3［p.24］，5［p.32］，8［p.41］，9［p.45］参照）．わが国で開発された新規尿酸降下薬ドチヌラドが，2020年から診療現場に登場した．ドチヌラドは，従来の尿酸排泄促進薬に比べ尿酸トランスポーターへの選択性が高いことから，適応や安全性について記載した（第2章 治療　3［p.24］，5［p.32］，6［p.36］，7［p.39］，9［p.45］，10［p.48］，11［p.52］参照）．追補版では，表1のように尿酸降下薬を作用機序に基づいてカテゴリー分類し，薬理学的特徴を理解しやすいように新規項目を設けて解説した（第2章 治療　2［p.18］参照）．

新規項目を含めた追補版と『ガイドライン（第3版）』の対応を図1に示す．追補版では『ガイドライン（第3版）』の序章～第3章Bまでの重複を避けたが，第3章Cは加筆の有無にかかわらず掲載した．追補版で加筆した箇所には下線を，新規収載文献は★印を付けて表示した．

表1　尿酸降下薬のカテゴリー分類と保険適応薬

1. 尿酸生成抑制薬
   1) プリン型キサンチン酸化還元酵素阻害薬
      アロプリノール
   2) 非プリン型キサンチン酸化還元酵素阻害薬
      フェブキソスタット，トピロキソスタット
2. 尿酸排泄促進薬
   1) 非選択的尿酸再吸収阻害薬
      ベンズブロマロン，プロベネシド，ブコローム
   2) 選択的尿酸再吸収阻害薬（SURI）
      ドチヌラド
3. 尿酸分解酵素薬
   ラスブリカーゼ

『高尿酸血症・痛風の治療ガイドライン（第 3 版）』
序章
第 1 章　作成組織・作成方針
第 2 章　クリニカルクエスチョンと推奨
第 3 章　高尿酸血症・痛風の治療マニュアル
A　トレンドとリスク
B　診断
C　治療
1　痛風関節炎と痛風結節
2　尿酸降下薬の種類と選択
3　高尿酸血症
4　腎障害
5　尿路結石
6　高血圧
7　動脈硬化
8　心不全
9　メタボリックシンドローム
10　腫瘍崩壊症候群における高尿酸血症
11　生活指導
12　小児の高尿酸血症
13　医療経済の視点と高尿酸血症・痛風の治療ガイドライン
付録
①　プリン体含量　食品中
②　プリン体含量　酒類中
③　尿酸降下薬一覧表（2018 年 11 月現在）

本書
第 1 章　総論
1　『高尿酸血症・痛風の治療ガイドライン（第 3 版）』の現状と今後の課題　新規項目
2　『高尿酸血症・痛風の治療ガイドライン（第 3 版）』活用状況に関するアンケート調査　新規項目
第 2 章　治療
1　痛風関節炎と痛風結節
2　尿酸降下薬の薬理学的特徴　新規項目
3　尿酸降下薬の種類と選択
4　高尿酸血症
5　腎障害
6　尿路結石
7　高血圧
8　動脈硬化
9　心不全
10　メタボリックシンドローム
11　腫瘍崩壊症候群における高尿酸血症
12　生活指導
13　小児の高尿酸血症
14　医療経済の視点と高尿酸血症・痛風の治療ガイドライン
付録
尿酸降下薬一覧表（2022 年 1 月現在）

図 1　『ガイドライン（第 3 版）』と追補版の対応

クリニカルクエスチョンと推奨文

CQ1 急性痛風関節炎（痛風発作）を起こしている患者において，NSAID・グルココルチコイド・コルヒチンは非投薬に比して推奨できるか？

推　奨	推奨の強さと方向	エビデンスの強さ
急性痛風関節炎（痛風発作）を起こしている患者において，NSAID・グルココルチコイド・コルヒチン（低用量）は非投薬に比して条件つきで推奨する．	「実施する」ことを条件つきで推奨する．	B（中）

CQ2 腎障害を有する高尿酸血症の患者に対して，尿酸降下薬は非投薬に比して推奨できるか？

推　奨	推奨の強さと方向	エビデンスの強さ
腎障害を有する高尿酸血症の患者に対して，腎機能低下を抑制する目的に尿酸降下薬を用いることを条件つきで推奨する．	「実施する」ことを条件つきで推奨する．	B（中）

CQ3 高尿酸血症合併高血圧患者に対して，尿酸降下薬は非投薬に比して推奨できるか？

推　奨	推奨の強さと方向	エビデンスの強さ
高尿酸血症合併高血圧患者に対して，生命予後ならびに心血管病発症リスクの軽減を目的とした尿酸降下薬の使用は積極的には推奨できない．	「実施しない」ことを条件つきで推奨する．	D（非常に弱い）

CQ4 痛風結節を有する患者に対して，薬物治療により血清尿酸値を 6.0 mg/dL 以下にすることは推奨できるか？

推　奨	推奨の強さと方向	エビデンスの強さ
痛風結節を有する患者に対して，薬物治療により血清尿酸値を 6.0 mg/dL 以下にすることは推奨できる．	「実施する」ことを推奨する．	C（弱）

CQ5 高尿酸血症合併心不全患者に対して，尿酸降下薬は非投薬に比して推奨できるか？

推　奨	推奨の強さと方向	エビデンスの強さ
高尿酸血症合併心不全患者に対して，生命予後改善を目的とした尿酸降下薬の投与は積極的には推奨できない．	「実施しない」ことを条件つきで推奨する．	C（弱）

CQ6 尿酸降下薬投与開始後の痛風患者に対して，痛風発作予防のためのコルヒチン長期投与は短期投与に比して推奨できるか？

推　奨	推奨の強さと方向	エビデンスの強さ
尿酸降下薬投与開始後の痛風患者に対して，痛風発作予防のためのコルヒチン長期投与は条件つきで推奨できる．	「実施する」ことを条件つきで推奨する．	C（弱）

CQ7 無症候性高尿酸血症の患者に対して，食事指導は食事指導をしない場合に比して推奨できるか？

推　奨	推奨の強さと方向	エビデンスの強さ
無症候性高尿酸血症の患者に対して，食事指導は食事指導をしない場合に比して推奨できる．	「実施する」ことを推奨する．	C（弱）

略語一覧（ABC 順）

略　語	英　文	和　文
ACE	angiotensin-converting enzyme	アンジオテンシン変換酵素
ACR	American College of Rheumatology	米国リウマチ学会
ARB	angiotensin II receptor blocker	アンジオテンシン II 受容体拮抗薬
BMI	body mass index	肥満度指数
CBA	cost benefit analysis	費用便益分析
C_{Cr}	creatinine clearance	クレアチニンクリアランス
CEA	cost effective analysis	費用効果分析
CKD	chronic kidney disease	慢性腎臓病
CMA	cost minimization analysis	費用最小化分析
CPAP	continuous positive airway pressure	持続気道陽圧呼吸治療
CRP	C-reactive protein	C 反応性蛋白
CT	computed tomography	コンピュータ断層撮影
CUA	cost utility analysis	費用効用分析
C_{UA}	uric acid clearance	尿酸クリアランス
CVD	cardiovascular disease	心血管病
CYP3A4	hepatic cytochrome P450 3A4	シトクロム P450・3A4
DASH	dietary approaches to stop hypertension	DASH 食
DECT	dual energy CT	デュアルエナジー CT
eGFR	estimated glomerular filtration rate	推算糸球体濾過率
ESWL	extracorporeal shock wave lithotripsy	体外衝撃波結石破砕術
EULAR	The European League Against Rheumatism	欧州リウマチ学会
FJHN	familial juvenile hyperuricemic nephropathy	家族性若年性高尿酸血症性腎症
GFR	glomerular filtration rate	糸球体濾過率
GLP-1	glucagon-like peptide-1	グルカゴン様ペプチド -1
GWAS	genome-wide association study	ゲノムワイド関連解析
G6PD	glucose-6-phosphate dehydrogenase	グルコース 6 リン酸デヒドロゲナーゼ
HDL-C	high-density lipoprotein cholesterol	高比重リポ蛋白コレステロール
HFrEF	heart failure with reduced ejection fraction	駆出率が低下した心不全
HGPRT (HPRT)	hypoxanthine-guanine phosphoribosyltransfer-ase (hypoxanthine phosphoribosyltransferase)	ヒポキサンチン - グアニンホスホリボシルトランスフェラーゼ（ヒポキサンチンホスホリボシルトランスフェラーゼ）
HTA	health technology assessment	医療技術評価
IgA	immunoglobulin A	免疫グロブリン A
IL	interleukin	インターロイキン
LDL-C	low-density lipoprotein cholesterol	低比重リポ蛋白コレステロール
Minds	Medical Information Network Distribution Ser-vice	公益財団法人日本医療機能評価機構 EBM 医療情報事業
MRA	mineralocorticoid receptor antagonist	ミネラルコルチコイド受容体拮抗薬
MSU	monosodium urate	尿酸一ナトリウム
NAFLD	non-alcoholic fatty liver disease	非アルコール性脂肪性肝疾患
NICE	National Institute for Health and Care Excellence	英国国立医療技術評価機構
NSAID	non-steroidal anti-inflammatory drug	非ステロイド系抗炎症薬

OSAS	obstructive sleep apnea syndrome	閉塞性睡眠時無呼吸症候群
PPAR	peroxisome proliferator-activated receptor	ペルオキシソーム増殖剤活性化レセプター
PRPP	phosphoribosylpyrophosphate	ホスホリボシルピロリン酸
QALY	quality-adjusted life year	平均余命の伸び
RA (RAS)	renin-angiotensin system	レニン・アンジオテンシン系
RCT	randomized controlled trial	ランダム化比較試験
RNA	ribonucleic acid	リボ核酸
ROS	reactive oxygen species	活性酸素種
SGLT	sodium glucose cotransporter	ナトリウム・グルコース共輸送体
SURI	selective urate reabsorption inhibitor	選択的尿酸再吸収阻害薬
TC	total cholesterol	総コレステロール
TLS	tumor lysis syndrome	腫瘍崩壊症候群
ULT	urate-lowering treatment	尿酸降下療法
URAT1	urate transporter 1	尿酸トランスポーター 1
XOR	xanthine oxidoreductase	キサンチン酸化還元酵素

Information

本書を利用するにあたり，下記にご留意くださいますようお願い申し上げます．

【利用に際して】

・本書は 2018 年 12 月に発行された『高尿酸血症・痛風の治療ガイドライン（第 3 版）』の「追補版」です．追補版では第 3 版からの変更点がわかるように該当部分を下線または □ にて示しました．また，新規収載文献は★印にて示しました．

また，新たな項目は **新規項目** というアイコンにて示しました．

・薬理学的分類に関してドチヌラドは選択的尿酸再吸収阻害薬（SURI），他の尿酸排泄促進薬は非選択的尿酸再吸収阻害薬としましたが，この分類は執筆者の間で取り決めた本書に限定的な分類であります．

・本書では第 3 版で言及しました CARES 研究に関して関連する項目で追記いたしました．

【薬剤について】

・本書の薬剤の用法・用量・製薬会社名などにつきましては，正確かつ最新のものを記載するよう努力しております．しかしながら，これらの情報は変更される場合がありますので，特に新薬，使い慣れない薬剤の使用に関しましては，各々の添付文書を参考にされ，十分にご注意くださいますようお願い申し上げます．

・本書に記載した使用法によって問題が生じたとしても，著者，編集者，出版社はその責を負いかねますのであらかじめご了承ください．

【薬価について】

・本書掲載の薬価に関しては，付録（p.68 ～ p.73）は 2022 年 1 月現在の薬価を掲載しています．

（日本痛風・尿酸核酸学会　ガイドライン改訂委員会／診断と治療社）

第1章

総　論

第1章 総論

1 『高尿酸血症・痛風の治療ガイドライン（第3版）』の現状と今後の課題

新規項目

1 治療ガイドライン普及の効果指標

『高尿酸血症・痛風の治療ガイドライン（第3版）』[1] はGRADE法を基本とした公益財団法人日本医療機能評価機構EBM医療情報事業（Minds）のガイドライン作成法2014 ver. 2.0を基に作成されている．本ガイドライン（第3版）の作成過程は以下の通りである．まず，日本痛風・核酸代謝学会（現：日本痛風・尿酸核酸学会）の評議員から応募されたPICOフォーマットの高尿酸血症治療に関する重要な臨床課題をガイドライン作成委員のステアリングチームが27個のPIC形式のクリニカルクエスチョン（CQ）と各CQの益（期待される効果）と害（有害な事象）のアウトカム（介入によって生じる結果）に整理し，ガイドライン作成委員のスコープ担当チームがデルファイ法を用いて投票により上位7つのCQを最終的に選んだ．文献検索は日本医学図書館協会が行い，その解析と評価は各CQのアウトカムごとにシステマティックレビューチームがシステマティックレビューとメタ解析を行うことで文献検索時のバイアスを排除した．エビデンス総体の評価をアウトカムごとのエビデンスの強さで客観的に示し，患者の価値観や希望と医療経済の観点を入れて推奨の強さと方向性を作成委員の投票で決めた．高尿酸血症・痛風の疫学・診断・治療に関しては高尿酸血症・痛風の診療マニュアルで示すことにより実地医療に対応できるガイドラインとして2018年12月末に発刊された．本ガイドライン（第3版）の評価はMindsによりAGREEII（The Appraisal of Guidelines for Research and Evaluation II）に基づいて行われ，高い評価を受けた．発刊後の診療ガイドラインを普及させるために，書籍やダイジェスト版の出版，英語版の発行，学会のホームページでの一般公開，学会でのシンポジウム，Mindsのホームページとリンクした患者用Q&Aが開設された．表1のようにガイドライン（第3版）発刊後2019年から学会のホームページへのアクセスが増加していることがわかる．今後もレセプトデータベースなどの他の指標を含めて普及効果を検討していく予定である．

表1 学会ホームページのアクセス回数

	年間（アクセスされたページ数）	年間（アクセスした人数）	月平均（アクセスされたページ数）	月平均（アクセスした人数）
2018年度（2018/4/1～2019/3/31）	75,440PV	28,490UU	6,287PV/M	2,374UU/M
2019年度（2019/4/1～2020/3/31）	93,482PV	32,096UU	7,790PV/M	2,675UU/M
2020年度（2020/4/1～2021/3/31）	108,377PV	42,639UU	9,031PV/M	3,553UU/M
2021年度（2021/4/1～2021/7/26）	51,684PV	28,274UU	12,921PV/M	7,069UU/M

PV：ページビュー（アクセスされたページ数），UU：ユニークユーザー（アクセスした人数），M：ひと月当たり．

2 治療ガイドライン発刊後モニタリング

ガイドラインがどの程度活用されているのかを定量的に評価するための一指標としてガイドライン発刊後アンケート調査が行われた（第1章　2『高尿酸血症・痛風の治療ガイドライン（第3版）』活用状況に関するアンケート調査［p.6］参照）．その調査からは腎障害合併高尿酸血症患者への腎保護を目的とした尿酸降下薬の推奨（CQ2）や，尿酸降下薬投与後の痛風発作予防へのコルヒチン長期投与の推奨（CQ6）が臨床医に普及してきていることが明らかになった．一方で高尿酸血症合併高血圧患者や心不全患者への予後改善を目的とした尿酸降下薬の投与に関する推奨（CQ3ならびにCQ5）に関してはエビデンス不足が指摘され，今後新しいエビデンス作りが期待された．また，高尿酸血症は痛風・尿路結石・腎障害のリスクに加えて，脳・心血管障害のリスクである可能性があり，2020年10月より実施されている循環器病対策推進基本計画に高尿酸血症は循環器疾患のリスクとなる生活習慣病であると記載されている．今後，高尿酸血症と心血管イベントとの関連について注視していく必要がある．また高尿酸血症・痛風の診断マニュアルの章では，痛風診療について欧州リウマチ学会（EULAR）/米国リウマチ学会（ACR）2015の痛風分類基準に関する記載等の情報提供の不足が指摘された．また今回採択されなかった20のCQはfuture research questionとして今後ガイドラインで検討すべきCQとされた．

3 米国リウマチ学会による痛風管理ガイドライン2020の推奨との比較

ACRが『痛風管理ガイドライン2020年版』（以下，米国ガイドライン）[2]を発表したため，米国ガイドラインと本ガイドラインの違いを作成法，関連するクリニカルクエスチョンと推奨文に関して表2にまとめた．両ガイドラインともに治療に特化した臨床課題の選定，網羅的文献検索，治療の益と害のバランス，薬価を中心とした医療経済の要素を基に，投票で決定する手続きを踏むことで客観性と公平性を担保している．米国ガイドラインでは投票に直接患者代表が加わるが，本ガイドラインでは患者の意見を資料として反映させている点に違いがあり，米国ガイドラインのほうがより直接的に患者の価値観や希望が反映されていることになる．

痛風発作の第一選択薬に両ガイドラインで差がないものの，米国ガイドラインではわが国にはないインターロイキン（IL）-1阻害薬や副腎皮質刺激ホルモン（adrenocorticotropic hormone：ACTH）の使用について言及している．痛風予防治療は，両ガイドラインともに低用量コルヒチンの長期投与を推奨している．また，痛風関節炎や痛風結節を伴う患者を含め，尿酸の目標値は米国ガイドラインでは6.0 mg/dL未満であり，本ガイドライン（6.0 mg/dL以下）とおおよそ一致している．しかし，初回痛風患者に対し米国ガイドラインでは尿酸降下薬を条件付きで推奨していない．これは発作頻度が低く，痛風結節がない患者では尿酸降下薬の臨床的有用性が痛風重症度の高い患者よりも低いと考えられていることに由来している．無症候性高尿酸血症の基準尿酸値が米国ガイドラインでは「6.8 mg/dL以上」となり，本ガイドラインの「7.0 mg/dLを超える」とは異なっている．また本ガイドラインでは，合併病態がなければ「9.0 mg/dL以上」から，あれば「8.0 mg/dL以上」から尿酸降下薬を考慮し，「6.0 mg/dL以下」を目指すが，米国ガイドラインでは無症候性高尿酸血症に対して尿酸降下薬の使用を推奨していない．米国ガイドラインでは痛風や高尿酸血症が慢性腎臓病（CKD）などの臓器障害に及ぼす効果に直接言及してはいないが，痛風発症の予防目的で尿酸降下薬の投与を推奨していない．一方，本ガイドライン（第3版）では腎障害合併高尿酸血症に対し腎保護の目的で尿酸降下薬の投与を世界で初めて推奨している．なお，高血圧や心不全合併例では予後改善の目的での同薬投与は推奨されないが，痛風や腎保護の観点からは投与を考慮すべきである．食事指導に関して米国ガイドラインはアルコール制限，プリン体制限，高フルクトース制限，減量を推奨しており，本ガイドラインと一致しているが，ビタミンCを推奨していない点は異なっている．両ガイドラインともエビデンスの評価方法は等しい一方で，保険診療を含む医療経済的側面や患者の価値観や希望の反映について両国の推奨文の独自性がうかがえる．

表2 日米における高尿酸血症・痛風のガイドラインの対比

		日本痛風・尿酸核酸学会 『高尿酸血症・痛風の治療ガイドライン（第3版）』（2018年発刊）	米国リウマチ学会 『痛風管理ガイドライン 2020年版』
ガイドライン作成	重要な臨床課題	学会評議員の投票により決定	投票パネルメンバーで作成しパブリックコメントを募集
	文献検索	ガイドラインチームが検索キーワードを作成し，システマティックレビューのために日本医学図書館協会が文献収集を行う	ガイドラインチームが文献を検索しシステマティックレビューを行う
	益と害のバランス	益と害のバランスをエビデンスに基づいて評価	益と害のバランスをエビデンスに基づいて評価
	患者の参加	患者へのアンケートにより価値観と希望の情報を推奨決定のパネルで提示	推奨決定のパネルに直接患者が参加
	推奨の決定	エビデンスの強さ，医療経済，患者の価値観と希望を参考にしてガイドライン委員が投票で決定	エビデンスの強さ，医療経済，患者の価値観と希望を参考にしてガイドライン委員と患者代表が投票で決定
痛風発作への第一選択薬		3剤（コルヒチン，NSAID，グルココルチコイド）の経口投与を同等に第一選択とする	・3剤（コルヒチン，NSAID，グルココルチコイド）の経口投与を同等に第一選択とする ・局所の冷却を推奨する ・経口投与ができない場合はグルココルチコイドの非経口投与を推奨する
痛風関節炎の血清尿酸の治療目標値		全ての痛風に関して尿酸値6.0 mg/dL以下をめざす	全ての痛風に関して尿酸値6.0 mg/dL未満をめざす
痛風結節の血清尿酸の治療目標値		痛風結節治療の目的で尿酸値6.0 mg/dL以下をめざす	痛風結節の治療では5.0 mg/dL以下をめざす
コルヒチン予防投与		予防投与を長期間（6か月），副作用をモニターして行う	予防投与を3～6か月，副作用をモニターして行うことを推奨する
合併病態のない無症候性高尿酸血症		尿酸値9.0 mg/dL以上から尿酸降下薬の投与を考慮する	尿酸降下薬を使用しない
合併病態のある無症候性高尿酸血症		尿酸値8.0 mg/dL以上から尿酸降下薬の投与を考慮し，6.0 mg/dL以下をめざす	尿酸降下薬を使用しない
腎障害合併高尿酸血症		尿酸降下薬を腎保護の目的で推奨する	痛風や高尿酸血症がCKDなどの臓器障害に及ぼす効果には直接言及していない
高血圧合併高尿酸血症		尿酸降下薬を予後改善に推奨しない	痛風や高尿酸血症が高血圧患者の生命予後に及ぼす効果には直接言及していない
心不全合併高尿酸血症		尿酸降下薬を予後改善に推奨しない	痛風や高尿酸血症が心不全患者の生命予後に及ぼす効果には直接言及していない
食事指導		・食事指導を推奨する ・肥満の解消と食事内容に配慮した指導を推奨する	アルコール制限，プリン体制限，高フルクトース制限，減量の推奨，ビタミンCを推奨しない

NSAID：非ステロイド系抗炎症薬，CKD：慢性腎臓病.

Minds 診療ガイドライン作成マニュアル 2020 ver.3.0 での強化された点

『ガイドライン（第3版）』はMinds診療ガイドライン作成マニュアル2014 ver.2.0に基づいて作成された．2020年にver.3.0[3]が発刊され，以下の点が強化された．

1）ガイドラインの定義の変更

「健康に関する重要な課題について，医療利用者と提供者の意思決定を支援するために，システマティックレビューによりエビデンス総体を評価し，益と害のバランスを勘案して，最適と考えられる推奨を提示する文書」とガイドラインの定義は改訂されている．対象がver. 2.0では医師・患者であったが，ver. 3.0では家族・一般市民ならびに非医療系有資格者も包括している．

2）作成方法と患者・市民の医療に対しての価値観や希望に関する情報収集

作成の全体像は3層構造の担当組織で，作成過程から先入観と偏りを排除する方法を取り，システマティックレビューを含めてエビデンス総体を，不確実性やバイアスリスクを含めて評価し，介入によってもたらされる益と害を列挙し，そのバランスを評価する．ガイドラインの目的は，医療現場で医療利用者と医療提供者による協働意思決定（shared decision making：SDM）を支援することであり，医療者からの視点だけではなく，当該疾患に罹患した経験のある人や，家族，ケア提供者，支援者，一般市民の視点を反映することが求められる．また，診療ガイドラインが対象とする人たちの実情に即した方法で，患者・市民にとって重要なアウトカムを検討するためには，診療ガイドライン作成の過程で患者・市民が参画することが重要である．そして，自身の経験や，患者・市民の価値観・希望，重要視する点などについての情報提供や情報収集することが重要である（インタビュー，アンケート調査，文献調査，パブリックコメントなど）．

3）医療経済の観点

少子高齢化社会と社会保障費の増大を受け，より効果的・効率的な医療の在り方が問われるようになり，わが国の医療保険制度に系統的な医療経済評価が導入された．また，医療経済評価を診療ガイドラインに組み入れる国も出ている．費用が重要な情報となると考えられる場合，医療経済評価を組み入れることが望ましいこと，費用分析は必須としないことなどが示されている．医療技術評価は医療サービスの新技術を医療保険でカバーすべきか，ならびに医療技術の値段を決めたりする手法である．費用効果分析（CEA）・費用効用分析（CUA）・費用便益分析（CBA）・費用最小化分析（CMA）があるが，前2者がガイドライン作成に適応される．CEAは費用に対する医療行為により生じ得る平均寿命の延び等の自然的単位を効果として図る．CUAは同じ生存でもQOLが異なるとの考えで，QOLを考慮した平均余命の伸び（QALY）を用いる．

以上のMinds作成マニュアルの更新点を踏まえて，今後のガイドライン改訂を考慮する必要がある．

文　献

1）日本痛風・尿酸核酸学会ガイドライン改訂委員会（編）：高尿酸血症・痛風の治療ガイドライン（第3版）．診断と治療社，2018

2）FitzGerald JD, Dalbeth N, Mikuls T, *et al.*：2020 American College of Rheumatology Guideline for the Management of Gout. *Arthritis Care Res*（*Hoboken*）**72**：744-760，2020

3）Minds診療ガイドライン作成マニュアル編集委員会（編）：Minds診療ガイドライン作成マニュアル2020ver.3.0 https//minds.jcghc.or.jp/s/manual_2020_3_0

2『高尿酸血症・痛風の治療ガイドライン（第3版）』活用状況に関するアンケート調査

新規項目

1 『高尿酸血症・痛風の治療ガイドライン（第3版）』を広めるために

2002年に国内ではじめて『高尿酸血症・痛風の治療ガイドライン（第1版）』が発刊された後，高尿酸血症と臓器障害に関連する疫学ならびに介入研究の報告が急速に増加し，高尿酸血症を臨床現場でどのように扱うかについての議論が進んだ．その間，わが国の診療ガイドライン作成法が変革され，公益財団法人日本医療機能評価機構EBM医療情報事業（Minds）のガイドライン作成法に準じて作成される“evidence-based consensus guideline”が主流となった[1,2]．こうして2018年末に発刊された第3版では，「痛風関節炎の治療」などに関する7つのクリニカルクエスチョン（CQ）に関する推奨事項が記載された[3]（クリニカルクエスチョンと推奨文［p.x］参照）．

『ガイドライン（第3版）』では，質の高い診療ガイドラインを作成するための支援ツールであるAGREE II（The Appraisal of Guidelines for Research and Evaluation II）での推奨に則り[4]，『ガイドライン（第3版）』が診療の場および社会に活用されるために予定されている事項を具体的に記述した（表1）．このなかで，ダイジェスト版および英語版が2020年までに公開され[5]，日本痛風・尿酸核酸学会のホームページからもダイジェスト版が閲覧可能である．シンポジウム，講演会，一般向け解説に関しても昨今のCOVID-19感染流行状況を考慮してオンライン形式を主体に計画している．また，ガイドライン活用に関するモニタリングの実施方法に関しても3つの案を提案した（表1）．

そこで，日本痛風・尿酸核酸学会に所属する医療従事者を対象に『高尿酸血症・痛風の治療ガイドライン（第3版）』の使用状況に関するアンケート調査を行い，本ガイドライン（第3版）が発刊されてから高尿酸血症・痛風診療にどのような変化が現れたかを検討した．本調査で検討した課題は以下の2点である．

表1 『高尿酸血症・痛風の治療ガイドライン（第3版）』を広めるために

具体的方法
・書籍として発行する ・ダイジェスト版を発行する ・英語版を発行する ・学会ウェブサイトで一般公開を行う ・学会で本ガイドライン（第3版）に関するシンポジウムを行う ・一般市民向けの講演を実施する ・一般市民向けの解説を作成する
『ガイドライン（第3版）』活用に関するモニタリングと監査
①日本痛風・尿酸核酸学会ホームページへのアクセス回数の集計 ②「ガイドライン導入前後で患者アウトカム測定（血清尿酸値や痛風発作の再発等）に変化があるか」に関する研究実施 ③ガイドラインで推奨された事項の実施状況に関するアンケート調査（学会員対象，発刊後3年ないしはそれ以上）

・『高尿酸血症・痛風の治療ガイドライン（第3版）』発刊前後で，CQの推奨事項に関連した診療意思決定に変化がみられたか．

・本ガイドライン（第3版）発刊後2年を経てどのように医師に活用されてきたか．

2 対象と方法

1） アンケート項目

「高尿酸血症・痛風の治療ガイドライン（第3版）の活用状況に関するアンケート」はガイドラインが発刊される前の2018年10～11月および発刊2年後にあたる2020年10～11月の2回実施した．いずれも日本痛風・尿酸核酸学会に所属する学会員〔正会員630人（2020年11月時点）〕に対して同学会ホームページ上で公開され，オンラインで回答いただいた.

回答者の診療科は内科一般，リウマチ科，腎臓内科，循環器・高血圧科，整形外科，泌尿器科，糖尿病・代謝科，脳神経科，基礎医学，その他のなかから1つを回答者自身に選択いただいた.

ガイドライン発刊前アンケートでは，7つのCQに基づき，以下の五者択一の設問とした.

1）CQ1：痛風発作に対してNSAID，グルココルチコイド，コルヒチンが使用できますが，どの治療が最も好ましいと考えますか？

①NSAID　②グルココルチコイド　③コルヒチン　④NSAID・グルココルチコイド・コルヒチンは同等　⑤わからない・その他（自由記載）

2）CQ2：腎障害を有する高尿酸血症患者に腎機能低下を抑制する目的で，尿酸降下薬を用いますか？

①積極的に用いる　②用いることが多い　③用いないことが多い　④用いない　⑤わからない・その他（自由記載）

3）CQ3：高尿酸血症合併高血圧患者に対して，生命予後ならびに心血管病発症リスクの軽減を目的として尿酸降下薬を使用しますか？

①積極的に用いる　②用いることが多い　③用いないことが多い　④用いない　⑤わからない・その他（自由記載）

4）CQ4：痛風結節を有する患者に対して，薬物治療により血清尿酸値を6.0mg/dL以下を目指しますか？

①積極的に目指す　②目指すことが多い　③目指さないことが多い　④目指さない　⑤わからない・その他（自由記載）

5）CQ5：高尿酸血症合併心不全患者に対して，生命予後改善を目的として尿酸降下薬を投与しますか？

①積極的に用いる　②用いることが多い　③用いないことが多い　④用いない　⑤わからない・その他（自由記載）

6）CQ6：尿酸降下薬投与開始後の痛風患者に対して，痛風発作予防のためにコルヒチンカバー（コルヒチン予防的治療）をしますか？

①積極的に用いる　②用いることが多い　③用いないことが多い　④用いない　⑤わからない・その他（自由記載）

7）CQ7：無症候性高尿酸血症の患者に対して，食事指導を行っていますか？

①積極的に行っている　②患者により行っている　③あまり行っていない　④行っていない　⑤わからない・その他（自由記載）

さらに，ガイドライン使用状況に関する3つの設問をおいた.

8）新しいガイドラインを日常診療で用いていますか（用いるつもりですか）？

①積極的に用いる　②用いることが多い　③用いないことが多い　④用いない　⑤わからない・その他（自由記載）

9）新しいガイドラインの上記CQ1～7は日常診療に役立ちますか（役立つと思いますか）？

①強くそう思う　②ややそう思う　③あまりそう思えない　④そう思えない　⑤わからない・その他（自由記載）

10）新しいガイドラインから新たな臨床研究や次のガイドラインのCQとなるべき課題が見つかりますか（見つかると思いますか）？

①強くそう思う　②ややそう思う　③あまりそう思えない　④思えない　⑤わからない・その他（自由記載）

一方，ガイドライン発刊2年後の2020年に行ったアンケートでは，1）～10）の設問に加えて，以下の8項目を新設した.

11）本ガイドラインに示された「高尿酸血症・痛風の治療アルゴリズム」は先生方にとってわかりやすいですか？

①わかりやすい　②どちらかといえばわかりやすい　③どちらかといえばわかりにくい　④わかりにくい　⑤わからない・その他（以下に自由記載）

12）本ガイドラインを使用して，あなたの治療方針に変化がありましたか？

①強くそう思う　②ややそう思う　③あまりそう思えない　④そう思えない　⑤わからない・その他（自由記載）

13）本ガイドラインを使用して，高尿酸血症・痛風の治療に自信がつきましたか？

①強くそう思う ②ややそう思う ③あまりそう思えない ④そう思えない ⑤わからない・その他(自由記載)

14) 本ガイドラインを患者との意思決定に使用していますか?

①積極的に用いる ②用いることが多い ③用いないことが多い ④用いない ⑤わからない・その他(自由記載)

15) 本ガイドラインは,高尿酸血症・痛風治療に関する医師の裁量を拘束すると考えますか?

①強くそう思う ②ややそう思う ③あまりそう思えない ④そう思えない ⑤わからない・その他(自由記載)

16) 本ガイドラインを医学生や研修医の教育に使用していますか?

①積極的に用いる ②用いることが多い ③用いないことが多い ④用いない ⑤わからない・その他(自由記載)

17) 本ガイドラインを医師以外の医療職と連携するために使用していますか?

①積極的に用いる ②用いることが多い ③用いないことが多い ④用いない ⑤わからない・その他(自由記載)

18) 最後に,今回の「高尿酸血症・痛風の治療ガイドライン(第3版)」に対して,お考え(印象,ご意見など)をお聞かせください(自由記載).

2) 分析対象者と分析方法

分析対象者は,2020年秋,ガイドライン発刊2年後に学会ホームページにて公開された本アンケートの全ての設問に対して回答した医師60名とした.また,発刊2年後のアンケート回答者のなかで発刊前のアンケートにも回答した41名に関して,発刊前アンケート回答も分析対象とした.なお,臨床医のうち発刊前のアンケートに回答した60名のうち19名に関しては発刊後に回答がなかった事由で,それぞれ分析対象者からは除外した.なお,すべての回答者において五者択一設問の回答漏れや複数回答は認められなかった.

発刊前(41件),2年後(60件)のそれぞれのアンケートにおいて,五者択一の各選択肢の回答者数を集計し,自由回答内容を総括した.さらに,設問1)痛風発作に対する治療薬の設問に関して,分析対象のなかで①NSAIDがもっとも好ましいと回答した割合を算出した.また,設問2)〜17)では,全回答者のなかで①または②(強くそう思う/ややそう思う,積極的に用いる/用いることが多い,など)を設問に同意した割合として算出した.

発刊2年後の設問11)〜18)それぞれにおける回答割合と回答者の診療科との関連に関して,カイ二乗検定を用いて評価した.また,ガイドライン発刊前後における設問1)〜10)の回答割合の変化に関して,McNemar検定(対応のある比率の検定)を用いて評価した.統計解析にはIBM SPSS Statistics Ver.27を用い,いずれも$p < 0.05$をもって有意差ありと評価した.

3 結果

1) 回答者の診療科

発刊2年後アンケートの回答者62名の内訳は,内科一般7名,リウマチ科14名,腎臓内科11名,循環器・高血圧科14名,整形外科2名,泌尿器科0名,糖尿病・代謝科8名,脳神経科0名,その他4名(臨床遺伝学,栄養科など),基礎医学2名(分析対象に含めず)であった.

2) 7つのクリニカルクエスチョンに関する設問:発刊2年後の回答割合と発刊前との比較検討

発刊2年後のアンケートに関する回答状況を図1に示す.

7つのCQに関する設問に関して,痛風発作時(CQ1)にNSAIDがもっとも好ましいと回答した割合は53.3%で,痛風予防としてコルヒチンカバー(CQ6)を行う割合は55.0%であった.痛風結節を有する患者に対して血清尿酸値として6.0 mg/dL以下を目指す(CQ4)と回答した割合は93.3%であった.高尿酸血症と関連する臓器障害では,CQ2(腎障害)では合併例に尿酸降下薬を用いると回答した割合は,88.3%であったが,CQ3(高血圧),CQ5(心不全)ではそれぞれ45.0%,36.7%であった.食事療法(CQ7)に関しては,行っていると回答した割合は68.3%であった.

発刊前および発刊2年後の設問1)〜10)それぞれの設問1)に対して選択肢①を,設問2〜10)に対して①または②と回答した割合(設問と選択肢は「2 対象と方法 1)アンケート項目」の通り)を図2に示す.発刊

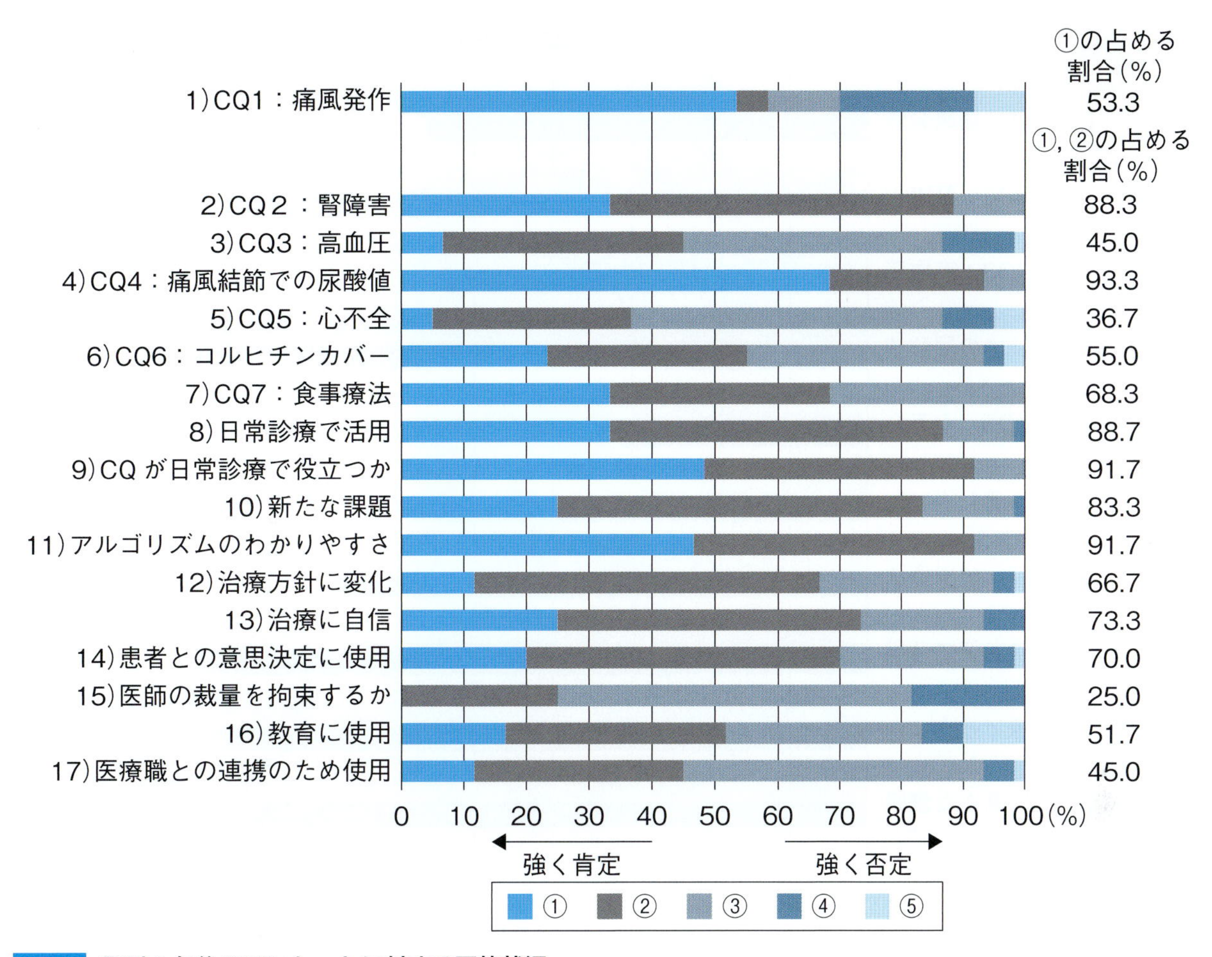

図1　発刊2年後のアンケートに対する回答状況

選択肢については p.7~8 を参照.

後にコルヒチンカバー〔設問6)〕を実施すると回答した割合は発刊前と比べて有意に高かった（p = 0.022）．他の項目に有意な変化がみられなかった．

3）　ガイドライン使用状況などに関する設問

設問8）以降では，ガイドラインが日常診療に役立ち，わかりやすく，今後新たな研究課題が見つかるなどの回答が大部分を占めた．また，70%前後が本ガイドライン（第3版）によって高尿酸血症・痛風治療に関する医師の裁量を拘束されない，治療方針に変化がもたらされたと回答した．一方，医学生や研修医の教育や医師以外の医療職との連携に使用していると回答した割合はいずれも50%前後であった（図1）．

発刊前および発刊2年後の設問8）～10）それぞれの回答割合の差異に有意差がみられなかったが，そのなかで設問10）で「新たな研究課題がみつかる」と回答した割合が若干低くなっていた．

発刊2年後において，診療科と設問の回答割合との関連を検討したところ，設問12）「治療方針の変化」に関しては，腎臓内科および循環器・高血圧科を標榜する医師のそれぞれ90.9%，92.9%が「治療方針に変化があったと思う」と回答した一方，内科一般，リウマチ科，糖尿病・代謝科ではそれぞれ71.4%，64.3%，50.0%，整形外科では0.0%と差異がみられた（カイ二乗値 = 14.8，p = 0.039）．他の設問では診療科別の差異は乏しかった．

『高尿酸血症・痛風の治療ガイドライン（第3版）』に関する印象，意見に関する主な回答は表2に列記したとおりである．

4　考察

今回のアンケート調査では，腎障害合併高尿酸血症患者への「尿酸降下薬の使用」（CQ2）に関して，80%以上の回答者が推奨事項に則って診療していたことが示唆された．この CQ の推奨はエビデンスレベルがB（中）と比較的高く，腎障害合併高尿酸血症患者への尿酸降下薬の使用は本ガイドライン（第3版）発刊前から

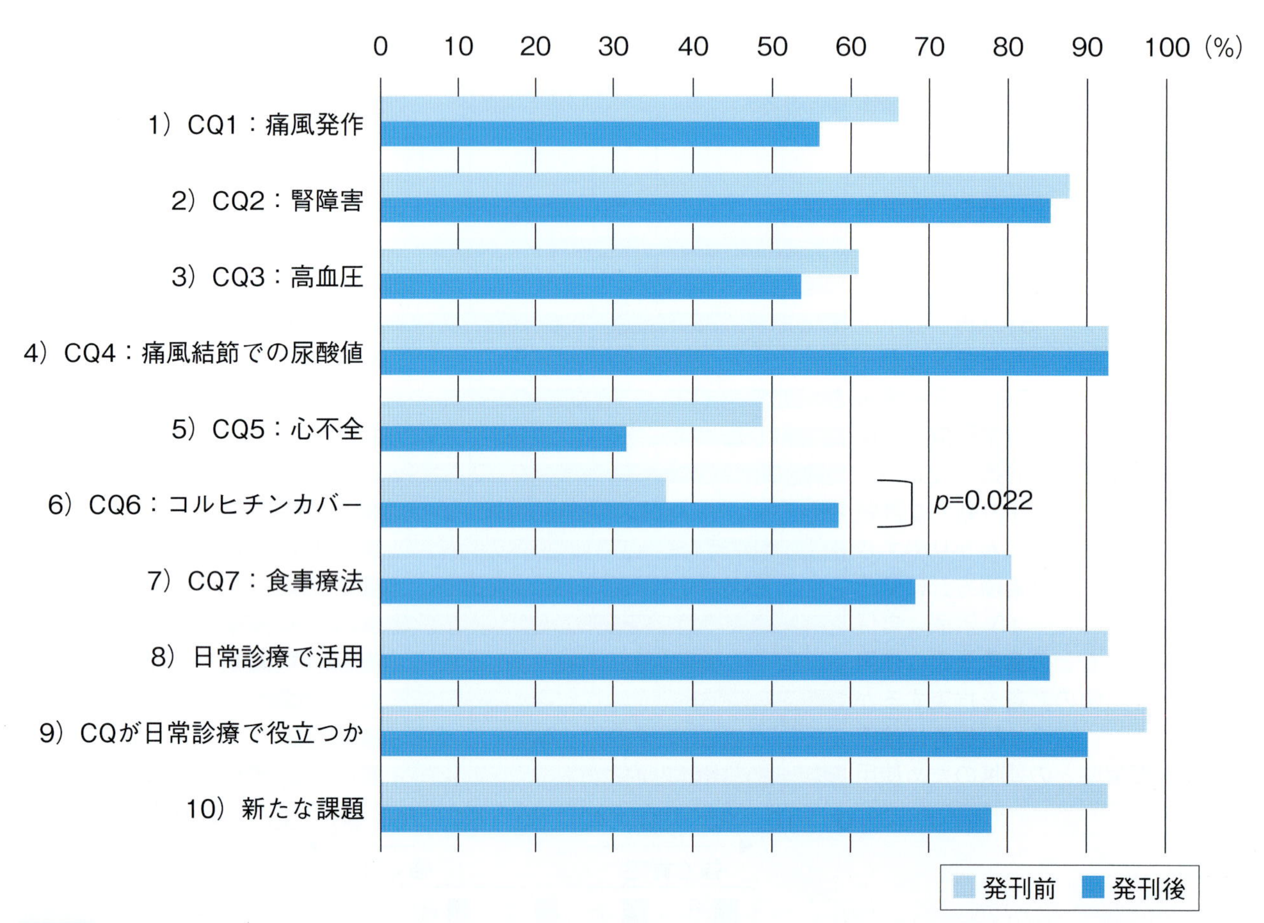

図2 CQに関する設問1）で①，設問2〜10）で①または②とそれぞれ回答した割合の発刊前および発刊2年後における比較

広く医師に周知し実践されてきたことが示唆された．痛風の診療に関して，発作予防のためにコルヒチンカバー（CQ6）を行う回答者の割合は，ガイドライン（第3版）発刊後に20％程度上昇していた．日本では海外ほど高用量のコルヒチンを長期投与する機会は乏しく，今回のシステマティックレビューに基づいて明らかとなった肝障害などの有害事象に留意すれば益が害を上回る可能性の高いことが臨床医に普及したことを示唆しているのがガイドライン発刊2年でもたらされた重要な変化と考えられた．

設問12）では，本ガイドライン（第3版）を使用して治療方針に変化がみられたとする回答者の割合に診療科間の差異がみられた．内科，リウマチ科を標榜する医師に比して整形外科，泌尿器科領域の回答者数が極めて少なかったこともあるが，アンケート数が少なく学会員に限られた．医師会，病院協会と連携して広くモニタリングする必要がある．また，次回のガイドライン改訂作業では重要課題の選出から推奨事項の決定まで，非専門医や非医療職を含めてより広い分野の医師と密な連携を行うことが望ましい．

今回の『ガイドライン（第3版）』ではCQに対して網羅的な文献検索によるエビデンス総体の評価を行ったが，多くのエビデンスレベルが低かった．特に7つのCQのうちでエビデンスレベルの低い高血圧，心不全における尿酸降下薬の介入はガイドライン発刊後2年間でわずかながら減少している可能性がある（図2）．アンケート回答者から指摘されたように新たな知見の積み重ねが必要である．介入・要因曝露の効果の間接的比較を含むネットワークメタアナリシスなど分析方法を工夫して，より強度の高いエビデンス集積を期待する．

文献

1) 公益財団法人日本医療機能評価機構：Minds 診療ガイドライン作成マニュアル 2017 - Minds ガイドラインライブラリ https://minds.jcqhc.or.jp/docs/minds/guideline/pdf/manual_all_2017.pdf
2) Minds 診療ガイドライン作成マニュアル編集委員会：Minds 診療ガイドライン作成マニュアル 2020 ver.3.0—Minds ガイド

表2 『高尿酸血症・痛風の治療ガイドライン（第3版）』に関する意見（自由記載）

- 現段階でのエビデンスが整理されていて，有益と考える．
- Mindsのガイドライン作成にも則り，力を注いで作成されたと思う．
- 他の分野と比較しても，ハイレベルのガイドラインである．
- 大いに参考になる．
- 高尿酸血症，痛風について幅広い領域をカバーされており，素晴らしい．
- ガイドラインがあると，治療開始時の方針決定や合併症予防目的の薬剤増量時など，患者さんの納得が得られやすい．
- 尿酸降下薬投与による心・血管イベントへの有効性がまだ十分立証されていないことがわかったが，今後立証されることを期待する．
- CQを中心とした構成でやや使いにくく感じることがある．
- 疫学的な男女差についてもう少し踏み込んでほしかった．
- 診断については，2015年に欧米で痛風の分類基準（EULAR/ACR2015）などが発表されているが，これらの診断などに関する記載が見当たらず，診療や教育をする上で困ることがあった．
- 痛風の診断についてもう少し分かりやすい方が良い．
- 内科医として単関節なら臨床的に痛風と判断するが，偽痛風や細菌性関節炎のこともあり，関節エコーや関節穿刺の必要性を感じている．
- 痛風発作の治療法については分量を増やしてもっと具体的に述べたらどうか．
- 若年層の高尿酸血症についての指針が欲しい．
- 尿酸降下薬の使い分けに関して，エビデンスに基づいた指針がより明確化されると良い．
- 腎性低尿酸血症診療ガイドラインのように，"At a glance"のようなページが欲しい．
- 専門医でない先生方の評価を伺ってはどうか．
- 日本人を対象としたエビデンスが不足している．
- 今後尿酸に関する，更なるエビデンスが出てくることを期待する．
- もっと積極的にガイドライン作成委員会が，新しいエビデンス創りのためにメタ解析（ネットワークメタアナリシスも用いて），システマティックレビューを行って画期的なガイドラインを作成して欲しい．

ラインライブラリ
https://minds.jcqhc.or.jp/docs/various/manual_2020/ver3_0/pdf/all_manual_2020ver3_0.pdf
3) 一般社団法人　日本痛風・尿酸核酸学会ガイドライン改訂委員会（編）：高尿酸血症・痛風の治療ガイドライン（第3版）．診断と治療社，2018
4) 公益財団法人日本医療機能評価機構EBM医療情報部：AGREE II（The Appraisal of Guidelines for Research and Evaluation II）日本語訳
http://minds4.jcqhc.or.jp/minds/guideline/pdf/AGREE2jpn.pdf（2021年9月1日）
5) Hisatome I, Ichida K, Mineo I, *et al.*：Japanese Society of Gout and Uric & Nucleic Acids 2019 Guidelines for Management of Hyperuricemia and Gout 3rd edition. *Gout and Uric & Nucleic Acids* **44**（suppl）：1-40, 2020

第2章
治　療

第2章　治療

1 痛風関節炎と痛風結節

要点

- 急性痛風関節炎は薬物治療の適応である．治療はできるだけ早く開始し，軽快したら中止する．
- 急性痛風関節炎の治療薬には非ステロイド系抗炎症薬，コルヒチン，グルココルチコイドがある．治療薬は，臨床経過，重症度，薬歴，合併症，併用薬を考慮して選択する．
- 急性痛風関節炎に対して非ステロイド系抗炎症薬は十分量を投与する．コルヒチンは発症12時間以内に1 mg，その1時間後に0.5 mgを投与する．経口グルココルチコイドはプレドニゾロン換算20～30 mg/日を目安とし，3～5日間投与する．グルココルチコイドは関節内投与，筋肉内投与も可能である．
- 尿酸降下薬開始後に生じる急性痛風関節炎に対して予防対策を行う．
- 痛風結節は尿酸降下薬によって血清尿酸値を長期間十分低下させることで縮小，消失が可能である．外科治療を行う場合でも薬物治療は必須である．

痛風関節炎は関節内に沈着した尿酸一ナトリウム（MSU）結晶を原因として発症する．治療目的は炎症を消退させることにある．痛風関節炎には急性と慢性があるが，大半が急性関節炎である．したがって，本項では急性痛風関節炎について述べる．

痛風結節は組織に沈着したMSU結晶とそれを取り巻く炎症細胞などによって構成される．治療目的はMSU結晶の除去である．ここでは肉眼的にとらえることができる痛風結節を対象とする．

1 痛風関節炎の治療

1） 治療の概略

痛風関節炎は関節内に沈着したMSU結晶によって引き起こされる関節炎である．急性単関節炎を呈することが多く，痛風発作と称される．無治療の場合，最初の3日間の疼痛の強さは変わらず7日後も大半で疼痛が持続すると報告されている[1]．急性痛風関節炎の疼痛は強く，患者のQOLを著しく損ない，労働生産性を低下させるため原則的に薬物治療の適応である．

薬物治療に用いられるのは非ステロイド系抗炎症薬（NSAID），コルヒチン，グルココルチコイドである．いずれもできるだけ早くに開始し，症状が消失したら速やかに中止する．急性痛風関節炎の経過（発症からの経過時間を含む），重症度，薬歴（これまでの抗炎症治療の副作用歴，あるいは有効性），合併症，併用薬を考慮して3種類のいずれかを選択する．これら3薬物の使用を制限する要因がない場合は，患者の好みや処方する医師にとって使い慣れた薬剤であるかどうかを含めて選択するのが妥当である．関節炎の程度が強い場合は2薬併用を考慮する．米国リウマチ学会（ACR）のガイドラインでは，NSAIDとコルヒチン，あるいは経口グルココルチコイドとコルヒチンの併用を勧めている[2]．薬物以外の治療として，患部の挙上と負担を避けることを勧める．局所の冷却は疼痛を減弱させる効果がある[3]．関節炎が持続している間は禁酒を指導する．

2） 主な治療薬

① NSAID

急性痛風関節炎に対するNSAIDのプラセボ対照RCTは少数例での試験が1つあるのみである．セレコキシブの低用量は高用量よりも有意に効果が低いことが示されており，NSAIDは急性痛風関節炎に有効である[4]．NSAIDには多くの種類があるが，急性痛風関節炎の有効性に優劣があるとの証拠はない．できるだけ早く内服を開始し十分量を用いることが重要である．高用量のアセチルサリチル酸は尿酸排泄促進作用があり血清尿酸値を低下させるため急性痛風関節炎には用

表1　痛風関節炎に適応があるNSAID

一般名	商品名	規格	添付文書に基づく投与法
ナプロキセン	ナイキサン®錠	100 mg錠	通常，成人にはナプロキセンとして1日量300〜600 mg（本剤3〜6錠）を2〜3回に分け，なるべく空腹時をさけて経口投与する．痛風発作には初回400〜600 mg（本剤4〜6錠）を経口投与する．
プラノプロフェン	ニフラン®錠など	75 mg錠	痛風発作にはプラノプロフェンとして，成人1回150 mg〜225 mgを1日3回，その後翌日から，通常，成人1回75 mgを1日3回食後に経口投与する．
オキサプロジン	アルボ®錠など	100 mg, 200 mg錠	通常，成人にはオキサプロジンとして1日量400 mgを1〜2回に分けて経口投与する．なお，年齢，症状により適宜増減するが，1日最高量は600 mgとする．

いない．

わが国では急性痛風関節炎に保険適応のあるNSAIDは限られている（表1）．NSAIDは急性痛風関節炎に対して比較的高用量を短期間に限って用いることが有用である．このため，NSAIDパルス療法が行われることがある．たとえばナプロキセンの場合，300 mgを3時間ごとに3回，1日だけ投与する．激痛が軽減した後も関節痛が持続し，日常生活に支障をきたす場合は，常用量（400〜600 mg/日）を継続する．プラノプロフェンでもNSAIDパルス療法が可能である（表1）．

NSAIDの副作用としては胃腸障害，腎障害，高血圧，中枢神経系症状，肝機能異常，心血管イベントの増加がある．胃腸障害では消化管の潰瘍，出血，穿孔が起こりうるので，状況に応じてプロトンポンプ阻害薬の併用を考慮する．胃潰瘍の既往がある場合ではNSAID以外の薬剤を用いるべきである．抗凝固薬を用いている患者ではNSAIDは避ける．NSAIDの腎障害には，急性腎障害，間質性腎炎，電解質異常などがある．慢性腎臓病（CKD）にはNSAIDは原則として避けるべきで，ステージ1・2に限り短期間使用してもよいが経過観察を要する[5]．心血管イベントの既往がある場合には短期間のNSAID投与でも心血管イベントの再発を増やす可能性がある[6]．このような副作用はナプロキセンではみられないとする報告がある．高齢者は腎機能や肝機能が低下していることが多く，注意が必要である．

②コルヒチン

2つのRCTで高用量コルヒチン投与法がプラセボよりも有効であることが示されている[7,8]．高用量投与法は副作用の出現頻度がきわめて高く，重篤な副作用も生じるので推奨できない．実臨床では低用量コルヒチン投与法が推奨される．Terkeltaubらは低用量投与法（コルヒチン1.2 mgを服用し，その1時間後に0.6 mgを服用）は高用量投与と有効性が変わらないことを示した[8]．この検討は関節炎発症12時間以内の症例を対象としており，コルヒチンを合計1.8 mg投与したあとの治療法については検討していない．わが国ではコルヒチンは1錠0.5 mgであり，まずコルヒチン2錠，その1時間後にさらに1錠を投与する．翌日以降に残存する疼痛に対しては，1〜2錠/日を投与し，疼痛が改善したら速やかに中止する．

コルヒチンは腸管から吸収されたあとに，おもに胆汁と便から排泄され，10〜20%は腎から排泄される．したがって，腎障害や肝機能障害がある場合には注意が必要である．GFR30 mL/分未満での安全性は確立していない[9]．コルヒチンの代謝と排泄にはCYP3A4とP-糖蛋白（P-gp）が関与する．表2にコルヒチンの医薬品インタビューフォームに記載されているCYP3A4，P-gpを阻害する薬剤をあげる[10]．表2以外でも，タクロリムスにこのような作用がある．クラリスロマイシン，エリスロマイシン，シメチジンはコルヒチンとの併用は避けるべきである．コルヒチンの副作用では消化器症状が多く，頻度は少ないが重篤なものに骨髄抑制，横紋筋融解症，末梢神経障害がある．コルヒチンとスタチンを併用する場合には横紋筋融解症を避けるためにCYP3A4で代謝されないスタチンにすべきとの意見がある．コルヒチンは治療域が狭い薬剤であり，合併症と併用薬を十分考慮して用いるべきである．

表2 コルヒチンとの併用を注意すべき薬剤

CYP3A4 阻害
〈強く阻害する薬剤〉
アタザナビル
クラリスロマイシン
インジナビル
イトラコナゾール
ネルフィナビル
リトナビル
サキナビル
ダルナビル
テリスロマイシン
テラプレビル
コビシスタット
〈中等度阻害する薬剤〉
アンプレナビル
アプレピタント
ジルチアゼム
エリスロマイシン
フルコナゾール
ホスアンプレナビル
ベラパミル
シメチジン
〈食品〉
グレープフルーツ

P- 糖蛋白を阻害する薬剤
シクロスポリン

〔医薬品インタビューフォームコルヒチン錠0.5 mg「タカタ」http://image.packageinsert.jp/pdf.php?mode=1&yjcode=3941001F1077「タカタ」2016年9月改訂（第5版）より〕

③経口グルココルチコイド

経口グルココルチコイドはNSAIDと同等に有効である[11-13]．プレドニゾロンとNSAIDを用いた二重盲検RCTにおけるプレドニゾロンの投与法は，最初に30 mgを投与し翌日から30 mg/日を5日間投与[11]，30 mg/日を5日間投与[12]，35 mg/日を5日間投与[13]である．これらの投与法は実臨床でも応用しうる．米国リウマチ学会ではプレドニゾロン0.5 mg/kg/日を5～10日間投与して中止するか，同量を2～5日間投与し，その後7～10日間で漸減する方法を勧めている[2]．欧州リウマチ学会は30～35 mg/日を3～5日間投与する方法を採用している[9]．

二重盲検RCTでは経口プレドニゾロンはインドメタシンに比べて副作用が有意に少なく[11,13]，ナプロキセンとの比較では副作用に差を認めなかった[12]．経口プレドニゾロンはNSAIDが使いにくい症例においても有効に用いることができる．特に腎機能低下例ではNSAIDやコルヒチンが使いにくくグルココルチコイドが適応になる場合が多い．糖尿病や何らかの感染症，術後の場合には注意が必要である．

3）急性痛風関節炎のその他の治療法

グルココルチコイドは経口投与のほかに，筋肉内，静脈内，関節内投与が選択できる．トリアムシノロンアセトニドについては1～2か所の大関節への関節内投与の有効性がオープン試験で示されている[14]．筋肉内投与もNSAIDと同等の有効性がある．リポ化ステロイド（リメタゾン®〈デキサメタゾンパルミチン酸エステル〉）には痛風の保険適応はない．インターロイキン1阻害薬のなかではカナキヌマブが海外の一部で痛風に承認されているが，日本では保険適応はない．

4）痛風関節炎の予防

尿酸降下薬を開始してから痛風関節炎が生じることがある．尿酸降下薬を投与することで血清尿酸値が低下すると，関節内に沈着しているMSU結晶の表面が変化するか，結晶が関節内に剥脱するために生じる．尿酸降下薬の副作用というよりは，尿酸降下薬本来の作用に伴ってみられる現象である．尿酸降下薬開始後の急性痛風関節炎発症はアドヒアランスの低下につながる懸念がある．

尿酸降下薬開始時には，痛風関節炎は関節内に沈着したMSU結晶によって引き起こされること，関節内MSU結晶は尿酸降下薬を適切に投与することにより徐々に溶解すること，結晶は尿酸降下薬投与直後に消失するわけではないので尿酸降下薬開始後も急性痛風関節炎が起こりうることを患者に説明する．

尿酸降下薬開始後に生じる痛風関節炎の予防のために尿酸降下薬は低用量からはじめて徐々に増量する．急性痛風関節炎が起こったときのために抗炎症薬を患者が頓服で使用できるように指導する．この場合に用いる抗炎症薬はNSAID，コルヒチン，あるいは経口グルココルチコイドであるが，患者に痛風関節炎の性状とこれらの薬剤の使い方を十分説明する必要がある．予兆時にコルヒチン0.5 mgを頓服させることがある．また，コルヒチン0.5～1.0 mg/日を尿酸降下薬開始後3～6か月間併用することがある（コルヒチンカバー）．コルヒチンカバーは急性痛風関節炎が頻発している場合や慢性関節炎例ではしばしば用いられる．この場合，コルヒチンの投与が長期に及ぶため，合併症や併用薬に十分注意すべきである．

2 痛風結節の治療

尿酸降下薬によって血清尿酸値を低下させることで，痛風結節内のMSU結晶が減少し，結節の縮小あるいは消失，再発防止が可能である．血清尿酸値は低いほうが結節の縮小速度が速い．慢性結節性痛風関節炎などの重症例では血清尿酸値の治療目標値を6.0 mg/dL以下よりもさらに低く，5.0 mg/dL以下を目標とすることが勧められる[2,9]．このために尿酸生成抑制薬と尿酸排泄促進薬を併用することも少なくない．慢性結節性痛風関節炎の治療では抗炎症薬の投与は長期に及ぶため副作用や薬物相互作用に注意する．感染や潰瘍形成，神経障害，関節機能への影響が大きい場合などには手術が考慮される[15]．手術を行ったあとでも血清尿酸値のコントロールは必要である．

おわりに

急性痛風関節炎では症状を速やかに消失させるとともに，尿酸降下療法（ULT）に移行すべく医療者と患者間で十分コミュニケーションをとる必要がある．痛風結節の治療では，合併症に注意して薬物治療を中心に治療を進め，外科治療の可能性も念頭に置く．治療は長期に及ぶことが多く，医療者は治療アドヒアランスを保つべく患者に接するべきである．

文　献

1) Bellamy N, Downie WW, Buchanan WW : Observations on spontaneous improvement in patients with podagra : implications for therapeutic trials of non-steroidal anti-inflammatory drugs. *Br J Clin Pharmacol* **24** : 33-36, 1987
2) Khanna D, Khanna PP, Fitzgerald JD, *et al.* : 2012 American College of Rheumatology guidelines for management of gout. Part 2 : therapy and antiinflammatory prophylaxis of acute gouty arthritis. *Arthritis Care Res (Hoboken)* **64** : 1447-1461, 2012
3) Schlesinger N, Detry MA, Holland BK, *et al.* : Local ice therapy during bouts of acute gouty arthritis. *J Rheumatol* **29** : 331-334, 2002
4) Schumacher HR, Berger MF, Li-Yu J, *et al.* : Efficacy and tolerability of celecoxib in the treatment of acute gouty arthritis : a randomized controlled trial. *J Rheumatol* **39** : 1859-1866, 2012
5) Curiel RV, Guzman NJ : Challenges associated with the management of gouty arthritis in patients with chronic kidney disease : a systematic review. *Semin Arthritis Rheum* **42** : 166-178, 2012
6) Schjerning Olsen AM, Fosbøl EL, Lindhardsen J, *et al.* : Duration of treatment with nonsteroidal anti-inflammatory drugs and impact on risk of death and recurrent myocardial infarction in patients with prior myocardial infarction : a nationwide cohort study. *Circulation* **123** : 2226-2235, 2011
7) Ahern MJ, Reid C, Gordon TP, *et al.* : Does colchicine work? The results of the first controlled study in acute gout. *Aust N Z J Med* **17** : 301-304, 1987
8) Terkeltaub RA, Furst DE, Bennett K, *et al.* : High versus low dosing of oral colchicine for early acute gout flare : Twenty-four-hour outcome of the first multicenter, randomized, double-blind, placebo-controlled, parallel-group, dose-comparison colchicine study. *Arthritis Rheum* **62** : 1060-1068, 2010
9) Richette P, Doherty M, Pascual E, *et al.* : 2016 updated EULAR evidence-based recommendations for the management of gout. *Ann Rheum Dis* **76** : 29-42, 2017
10) 医薬品インタビューフォーム コルヒチン錠0.5mg「タカタ」2016年9月改訂（第5版）
http://image.packageinsert.jp/pdf.php?mode=1&yjcode=3941001F1077
11) Man CY, Cheung IT, Cameron PA, *et al.* : Comparison of oral prednisolone/paracetamol and oral indomethacin/paracetamol combination therapy in the treatment of acute goutlike arthritis : a double-blind, randomized, controlled trial. *Ann Emerg Med* **49** : 670-677, 2007
12) Janssens HJ, Janssen M, van de Lisdonk EH, *et al.* : Use of oral prednisolone or naproxen for the treatment of gout arthritis : a double-blind, randomised equivalence trial. *Lancet* **371** : 1854-1860, 2008
13) Rainer TH, Cheng CH, Janssens HJ, *et al.* : Oral Prednisolone in the Treatment of Acute Gout : A Pragmatic, Multicenter, Double-Blind, Randomized Trial. *Ann Intern Med* **164** : 464-471, 2016
14) Fernández C, Noguera R, González JA, *et al.* : Treatment of acute attacks of gout with a small dose of intraarticular triamcinolone acetonide. *J Rheumatol* **26** : 2285-2286, 1999
15) Kasper IR, Juriga MD, Giurini JM, *et al.* : Treatment of tophaceous gout : When medication is not enough. *Semin Arthritis Rheum* **45** : 669-674, 2016

2 尿酸降下薬の薬理学的特徴

新規項目

要点

- 高尿酸血症・痛風の治療において，高尿酸血症改善のために尿酸降下薬が投与される．
- 尿酸降下薬は尿酸生成抑制薬，尿酸排泄促進薬（非選択的尿酸再吸収阻害薬，選択的尿酸再吸収阻害薬），尿酸分解酵素薬がある．
- 尿酸生成抑制薬の分子標的はキサンチン酸化還元酵素であるため，キサンチン酸化還元酵素阻害薬とよばれる．薬剤の構造により，プリン型キサンチン酸化還元酵素阻害薬と非プリン型キサンチン酸化還元酵素阻害薬に分類される．
- 尿酸排泄促進薬の分子標的は近位尿細管細胞に発現する尿酸トランスポーターであり，トランスポーター作用の阻害が本態である．作用するトランスポーターの種類により，非選択的尿酸再吸収阻害薬に加え，選択的尿酸再吸収阻害薬が登場した．

尿酸（uric acid）は分子式 $C_5H_4N_4O_3$（分子量 168）の水に難溶性の白色結晶で，ヒトや多くの霊長類におけるプリン代謝の最終代謝産物である．一般的に哺乳類では尿酸は肝の尿酸酸化酵素により水溶性のアラントインに代謝され，腎から排泄される．これに対し，ヒトの尿酸酸化酵素にはその機能が完全に欠失する遺伝子変異が存在するために，腎から排泄されるプリン代謝の最終代謝産物は尿酸となっている．さらに，ヒトは腎に効率的な尿酸再吸収機構を備えていることから，ほかの哺乳類に比較して血清尿酸値が高値となっており，これがヒトに高尿酸血症，痛風が多く認められる原因となっている．尿酸は生活習慣病としての高尿酸血症や痛風，尿路結石の原因となる一方，体内に最も高濃度で存在する抗酸化物質であり，霊長類の寿命の長さと関連しているという報告や，運動時における酸化ストレスの軽減に寄与しているとの報告もなされている．

ヒトの体内における尿酸プールは，男性で約 700 ～ 1,700 mg，女性で 550 ～ 700 mg といわれており，産生と排泄のバランスによって血清尿酸値をほぼ一定に保っている．プリン体はプリン骨格をもつ物質の総称であり，生体ではプリン塩基（アデニン，グアニン），プリンヌクレオチド（アデノシン三リン酸〈adenosine triphosphate：ATP〉，アデノシン一リン酸〈adenosine monophosphate：AMP〉やグアノシン一リン酸〈guanosine monophosphate：GMP〉）などが代表的なプリン体である．食事性または内因性（細胞破壊や新規合成）に生じたプリン体は，主に肝でキサンチン酸化還元酵素（XOR）によりヒポキサンチンからキサンチンまで分解された後，最終的に尿酸に変換され，血中に分泌される（700 mg/ 日）．それとほぼ同じ量が体外へ排泄されることで，尿酸プールサイズと血清尿酸値は一定に保持されている．

ヒトでは，尿酸の約 75% が腎から尿中に排泄され（500 mg/ 日），その他では腸管などから排泄される（200 mg/ 日）[1]．血中に存在する尿酸のうち，蛋白質と結合していない遊離型として存在する尿酸は糸球体から濾過されたあと，主に近位尿細管で再吸収と分泌が行われ，最終的に濾過された尿酸の約 10% が尿中に排泄される[2]．

血中の尿酸値が尿酸一ナトリウム（MSU）の飽和溶解度とされる 7.0 mg/dL を超えた状態が高尿酸血症と定義される．高尿酸血症は遺伝的背景に加えて環境要因が大きく関与する生活習慣病であると考えられており，特に現代の食生活習慣の変化に伴い痛風，高尿酸血症の患者数は著しく増加している[3]．アルコール飲料や内臓などのプリン体に富む食材の大量摂取や，尿酸の排泄障害などがその原因となることが知られている．

高尿酸血症の病型分類は，腎における尿酸の排泄効率が低下した「尿酸排泄低下型」，腎に対する尿酸負荷が増大し，血清尿酸値の上昇をきたす「腎負荷型」，その両者を要因とする「混合型」に大別される．さらに腎負荷型は尿酸の産生量が増加する「尿酸産生過剰型」と腸管からの尿酸排泄が低下するために腎からの尿酸排泄が増加する「腎外排泄低下型」に分けられる．

高尿酸血症の治療では，「高尿酸血症に加えて予後に関係する肥満，高血圧，糖・脂質代謝異常などの合併症もきたしやすい生活習慣を改善することが最も大切」であるが，痛風関節炎を繰り返す症例や痛風結節を認める症例は薬物治療の適応となり，無症候性高尿酸血症への薬物治療の導入は合併症を有する場合，血清尿酸値 8.0 mg/dL 以上で考慮する[3]．現在，わが国で使用可能な尿酸降下薬にはプリン型 XOR 阻害薬（アロプリノール），非プリン型 XOR 阻害薬（フェブキソスタット，トピロキソスタット），尿酸排泄促進薬（ベンズブロマロン，プロベネシド，ブコローム）があるが，最近，選択的尿酸再吸収阻害薬（SURI）としてドチヌラドが加わった．

1 尿酸生成抑制薬の薬理学的特徴

尿酸生成抑制薬はいずれも XOR 阻害により尿酸生成を抑制する．XOR は通常ニコチンアミドアデニンジヌクレオチド（nicotinamide adenine dinucleotide：NAD）を電子受容体とする脱水素酵素型（xanthine dehydrogenase：XDH）として存在するが，虚血などの条件下では分子状酸素を電子受容体とする酸化酵素型（xanthine oxidase：XO）に変換される．当初，XOR は酸化酵素型として同定されたため，現在でも“xanthine oxidase”が XOR を指すものとして使用されているが正確ではない．

プリン型 XOR 阻害薬であるアロプリノールはプリン骨格を有し，ヒポキサンチンに類似した構造をもつ．XOR により水酸化されたアロプリノールはオキシプリノールとなり，XOR 活性中心にある還元されたモリブデンと共有結合して反応中間体アナログを形成することで酵素反応を阻害する．アロプリノールおよびオキシプリノールはその構造的特徴から，XOR 選択的に作用せず，プリン・ピリミジン代謝系の種々の酵素を阻害する可能性が指摘されてきた．また，オキシプリノールは腎排泄のため，腎障害時には血中濃度の上昇から皮膚粘膜眼症候群（Stevens-Johnson 症候群）や中毒性表皮壊死融解症（toxic epidermal necrolysis：TEN），汎血球減少症などの重篤な副作用の発現頻度が高まると報告されている[4]．そのため，アロプリノールを腎不全の患者に使用するときは腎障害の程度に合わせて投与量を調節する必要がある．

プリン骨格をもたない非プリン型 XOR 阻害薬のフェブキソスタットとトピロキソスタットは，アロプリノールより XOR 選択性が高いとされ，ほかの主なプリン・ピリミジン代謝酵素を阻害しないことが明らかとなっている．フェブキソスタットは XOR の活性中心と共有結合を形成せず，複数の様式（イオン結合，水素結合，Van der Waals 分子間力など）で XOR のアミノ酸残基と結合して酵素反応を阻害する．トピロキソスタットはハイブリッド型として，モリブデンとの共有結合および複数の様式による XOR アミノ酸残基との結合の両方の結合様式を併せもつ[5]．両薬剤ともに腎排泄のみに依存しないため，腎障害をもつ患者にも比較的安全に使用できる．またトピロキソスタットは尿酸降下作用以外にも，尿中アルブミン減少作用をもつことが報告されており[6]，一方，CARES 研究において，アロプリノールに比べてフェブキソスタットにおいて心血管疾患による死亡と全ての原因による死亡が多かったことが報告されたが否定する報告もあり議論をよんでいる[7]．

2 尿酸排泄促進薬の薬理学的特徴

高尿酸血症患者のほとんどが尿酸排泄低下型とされており，この病型に対して用いられる高尿酸血症治療薬が尿酸排泄促進薬である．尿酸排泄促進薬の分子標的は近位尿細管細胞に発現する尿酸トランスポーター（図 1）であり，トランスポーター作用の阻害が本態である．

トランスポーターとは細胞膜に存在する膜貫通性の輸送蛋白質をいう．脂質二重層を有する細胞膜を物質が透過する際，O_2 や CO_2 などの気体と，尿素やエタノールなどのような極性をもたない分子は単純拡散することが可能だが，グルコース・アミノ酸・尿酸，イオンなどは細胞膜上の輸送蛋白質を介して輸送する必要がある．膜輸送蛋白質は大きく①ATP 駆動ポンプ，②チャネル，③トランスポーター（担体）の 3 つに分けられる．さらにトランスポーターには，1）1 種類の分子を濃度勾配に従って輸送する単一輸送体（uniporter），2）あるイオンや分子の濃度勾配に逆らった動きと，別の分子の濃度勾配に従った動きを共役させている対向輸送体（antiporter）および 3）等方輸送体（symporter）の 3

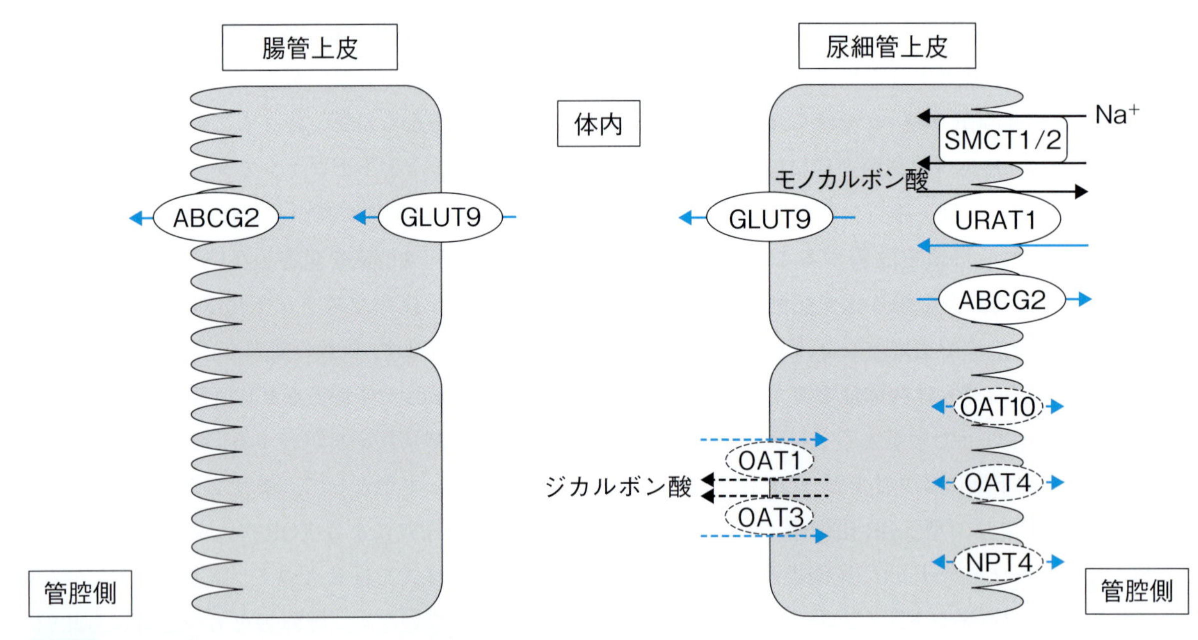

図1 各種尿酸トランスポーターと尿酸輸送

→は尿酸輸送を示し，→は尿酸以外の輸送を示す．
点線で示したものは *in vitro* での尿酸輸送のみが報告されているトランスポーター．

種類がある（対向輸送体と等方輸送体を合わせて共輸送体〈cotransporter〉とよぶ）．トランスポーターは基質結合部位を膜の一方に向ける構造とそれを膜の反対側に向ける構造とを繰り返し，この1回の動きで1～3個の基質分子を移動させる．そのため基質輸送速度は毎秒 10^2 ～ 10^4 イオンまたは分子であり，ほかの膜輸送蛋白質に比べると遅いのが特徴である．

尿酸は腎の近位尿細管において経上皮細胞性の再吸収を受け，尿細管管腔→近位尿細管細胞→血管内という経路をたどるが，この過程で最も重要な働きをするトランスポーターは，近位尿細管細胞の管腔側膜に発現する入口としての尿酸トランスポーター1（URAT1）と同基底側膜（血管側膜）に発現する出口となる glucose transporter9（GLUT9）（別名 voltage-driven urate transporter1〈URATv1〉）と考えられている．2002年，Enomotoらによって同定されたURAT1は，*SLC22A12* 遺伝子によりコードされる12回膜貫通型のトランスポーターであり，ヒトでは近位尿細管細胞の管腔側膜に強い発現が認められる[8]．*URAT1* 遺伝子発現アフリカツメガエル卵母細胞を用いた輸送実験から，URAT1は尿細管管腔から近位尿細管細胞への尿酸の輸送と，細胞内のモノカルボン酸（ニコチン酸，乳酸，ピラジンカルボン酸など）の反対側への輸送を共役させている尿酸/アニオン対向輸送体であることが明らかとなった．さらに，ベンズブロマロンやプロベネシド，ロサルタンなどがURAT1に基質として認識されることも示された．後にヒトにおいて *SLC22A12* 遺伝子の機能欠失型変異は腎性低尿酸血症を惹起し，同患者ではベンズブロマロン試験で尿中尿酸排泄の増加が認められないことからも，ベンズブロマロンはURAT1に作用して尿酸の再吸収を阻害していることが明らかにされた[9]．なお，尿酸との対向輸送の基質となるモノカルボン酸は sodium-coupled monocarboxylate transporter 1/2（SMCT1 または SMCT2）を介して，Na^+ との等方輸送で尿細管管腔から近位尿細管細胞に取り込まれるが，これらのトランスポーターはPDZK1などのPDZ蛋白質を介してURAT1と複合体を形成し尿酸輸送を調節しているとされる[10]．URAT1以外にも管腔側膜に発現する有機酸トランスポーター organic anion transporter4/10（OAT4やOAT10）などで，*in vitro* で尿酸輸送活性が確認されている．2007年GWAS[11]により血清尿酸値との相関が示されたGLUT9/*SLC2A9* は翌年，尿酸のトランスポーターであることが報告されたが[12]，同年Anzaiらはその尿酸輸送特性に電位依存性があることを見出しURATv1として報告した[13]．すなわち，*URATv1* 遺伝子発現アフリカツメガエル卵母細胞を使った実験で，細胞外 Na^+ をKClまたは K^+-gluconate で置換すると尿酸の取り込みが有意に増加したが，細胞外 Na^+ を除去しても尿酸の取り込みに変化を認めなかった．これらの結果は，URATv1を介した尿酸の輸送には電位依存性があり，Na^+との共輸送は行われていないことを示しており，細胞内が負に維持されている状態ではアニオンである尿酸は電気勾配に従って細胞外に輸送されることを示唆する．*SLC22A12*（URAT1）と*SLC2A9*（GLUT9/URATv1）の多型には健常者の血清尿酸値と強い相関を示すことが報告され[14]，尿細管管腔から近位尿細管細胞内に取り込まれた尿酸はおもに基底膜側のGLUT9/URATv1を介して血管内へ輸送されることが予想される．

再吸収と逆向きの分泌過程では，血管側膜に発現する有機酸トランスポーターOAT1やOAT3で*in vitro*で尿酸輸送活性が確認されていることから，近位尿細管細胞基底側膜のOAT1およびOAT3（*SLC22A6/8*）を介して尿酸は血管内から近位尿細管細胞内に取り込まれ，管腔側膜の電位差駆動型有機酸トランスポーターvoltage-driven organic anion transporter 1（OATv1，別名NPT4/*SLC17A3*）[15]や薬物排出ポンプのATP-binding cassette sub-family G member 2（*ABCG2*）により尿細管管腔へ分泌されると予想される．*ABCG2*は，現在では腎以外に，腸管での尿酸排泄において中心的役割を果たすことが明らかとなっており，腸管からの尿酸排泄低下が高尿酸血症や痛風の発症に強く関与することが示されている[16,17]．特に小児で急性腸炎に伴い血清尿酸値の上昇がみられることが知られていたが，急性胃腸炎罹患時には脱水の影響に加え，*ABCG2*の機能低下から腸管への尿酸排泄が低下することが尿酸値上昇の原因であることも明らかにされている[18]．

1） 非選択的尿酸再吸収阻害薬

非選択的尿酸再吸収阻害薬には，ベンズブロマロン，プロベネシド，ブコロームがある．このうちベンズブロマロンとプロベネシドは，近位尿細管のトランスポーター，おもにURAT1に作用して尿細管管腔から近位尿細管細胞への尿酸の再吸収を阻害し，尿中排泄を増加させる．

選択的冠動脈拡張薬のスクリーニングの際に見出されたベンゾフラン誘導体であるベンジオダロンが尿酸排泄促進作用を有することが確認され，さらに尿酸排泄促進作用が増強されたものがベンズブロマロンである．ベンズブロマロンとその主要代謝物である6-ヒドロキシ体はURAT1を尿酸と競合する結果，URAT1による尿酸の再吸収を阻害し，尿酸の尿中排泄を促進する．ベンズブロマロンは日本（台湾）で使用できる非選択的尿酸再吸収阻害薬のうち最も多く使用されている一方で，ミトコンドリア毒性が要因として考えられている致死性の肝障害が副作用として存在するために米国では販売されておらず，欧州でも2003年に市場から撤退している[19]．現在ベンズブロマロンの骨格が元となる新たな尿酸排泄促進薬の開発が行われており，より安全性の高い新規尿酸排泄促進薬の開発が期待される[20]．

プロベネシドはベンズブロマロンと同様，URAT1をはじめとした近位尿細管の多くのトランスポーターの作用を抑制することで尿酸排泄促進作用を発揮する．

非ステロイド系抗炎症薬（NSAID）としてわが国で開発されたブコロームは，尿酸排泄作用を有するがURAT1に対する阻害作用については解析されておらず，その作用機序については明らかとなっていない．なお，ベンズブロマロンとブコロームはCYP2C9の阻害作用をもつため，特にワルファリンとの併用時は注意を要する．

2） 選択的尿酸再吸収阻害薬

現在，尿酸排泄促進薬のなかで日本で最も多く使用されているベンズブロマロンは肝障害リスクやCYP2C9阻害による薬物相互作用が存在することが懸念されている．これに対し，その問題を克服した薬剤として日本で開発されたのが，2020年に製造承認されたドチヌラドである[21]．

URAT1の阻害作用におけるベンズブロマロンおよびプロベネシドの50％阻害濃度（50% inhibition concentration：IC50）値はドチヌラドのIC50値（0.0372 μmol/L）と比べてそれぞれ5.11および4,440倍と高値であったことが報告されている．また，尿酸分泌に関与するヒト*ABCG2*（BCRP），OAT1（*SLC22A6*）およびOAT3（*SLC22A8*）の発現細胞を用いた尿酸取り込み阻害効果も評価されており，ドチヌラドのIC50値はURAT1のIC50値に対する比（URAT1阻害比）がドチヌラド，ベンズブロマロンおよびプロベネシドでそれぞれ35.5～112倍，1.52～16.5倍および0.0144～2.62倍であったことも示されており，臨床用量内では作用（阻害）しないと考えられる．

これらのことから，ドチヌラドは既存の尿酸排泄促進薬に比べ，URAT1阻害が強くかつURAT1選択性が高い尿酸再吸収阻害薬「選択的尿酸再吸収阻害薬」として，腸管においてABCG2を阻害しないため腎負荷を回避する尿酸排泄促進薬と考えられる．

3 その他

尿酸降下薬以外で血清尿酸降下作用を有する薬剤として知られているものもある．

1) 降圧薬（アンジオテンシンII受容体拮抗薬）

ロサルタンおよびその代謝産物EXP3174は，AT_1受容体を阻害することで降圧効果を発揮するが，本剤はURAT1とGLUT9（URATv1）を阻害することにより，尿酸排泄を促進することが知られている[22,23]．また，イルベサルタンにも上記のような作用が認められているが，他のARBでは認められないことからARBのクラスエフェクトではないと考えられる[24]．これらの薬剤は高尿酸血症を合併する高血圧患者において有効であると考えられる．

2) 高脂血症治療薬

フェノフィブラートは核内受容体であるペルオキシソーム増殖剤活性化レセプターα（PPARα）を活性化することにより低比重リポ蛋白コレステロール（LDL-C）および中性脂肪を低下させるが，フェノフィブラートの代謝物であるフェノフィブリン酸がURAT1を阻害することにより，尿酸排泄促進作用を示すことが知られている[25]．このことから，フェノフィブラートは脂質異常症と高尿酸血症を合併する患者に対して有用となる可能性が示唆されている．

3) アレルギー性疾患治療薬

トラニラストはアトピー性皮膚炎や気管支喘息といったアレルギー性症状に対して用いられている日本で開発された薬剤である．近年，トラニラストはURAT1とGLUT9の両方を阻害することにより尿酸排泄作用を発揮することが報告された[26]．臨床試験においては血清尿酸濃度の低下が認められている[27]．

4) アンジオテンシン受容体ネプリライシン阻害薬（ARNI）

ナトリウム利尿ペプチドなどの分解酵素のネプリライシンを阻害するサクビトリルと，ARBのバルサルタンの複合体で慢性心不全および高血圧症の治療薬として用いられている．PARADIGM-HF[28]およびPARAGON-HF[29]の臨床試験においてARNIの尿酸降下作用が示されている．

5) SGLT2阻害薬

近位尿細管においてグルコースの再吸収を阻害しうる経口糖尿病治療薬であり，糖尿病の他に慢性心不全や慢性腎臓病（CKD）に適応のあるもの（ダパグリフロジンとエンパグリフロジン）もある．SGLT2阻害が尿中尿酸排泄促進を介して血清尿酸値を下げることが示されている[30]．

おわりに

高尿酸血症は年齢を重ねるとともに発症例が増加し，また痛風となるリスクが高くなる．現在世界中でURAT1に阻害効果を示す新規候補化合物を含め，10種類以上の尿酸降下薬が開発段階にあり，より有効かつ安全な治療薬の開発が望まれる[20]．近年，高尿酸血症は高血圧，CKD，心血管病（CVD）やメタボリックシンドロームなどの病態と関連し，尿酸がこれら疾患の促進因子である可能性が示唆されている[31-33]．したがって，尿酸降下薬は，今後高尿酸血症・痛風の改善のためだけでなく，上記の病態の改善など，多数の病態に対して治療効果を発揮することが期待される．

文献

1) Sorensen LB, Levinson DJ : Origin and extrarenal elimination of uric acid in man. *Nephron* **14** : 7-20, 1975
2) Sica DA, Schoolwerth AC : Renal Handling of Organic Anions and Cations and Renal Excretion of Uric Acid. In : Brenner BH (ed). The Kidney (6th ed). Saunders, Philadelphia, 680-700, 2000
3) 日本痛風・核酸代謝学会ガイドライン改訂委員会（編）：高尿酸血症・痛風の治療ガイドライン（第3版）．診断と治療社．東京，2018
4) Hande KR, Noone RM, Stone WJ : Severe allopurinol toxicity. Description and guidelines for prevention in patients with renal insufficiency. *Am J Med* **76** : 47-56, 1984
5) Okamoto K, Matsumoto K, Hille R, *et al.* : The crystal structure of xanthine oxidoreductase during catalysis : implications for reaction mechanism and enzyme inhibition. *Proc Natl Acad Sci U S A* **101** : 7931-7936, 2004
6) Hosoya T, Ohno I, Nomura S, *et al.* : Effects of topiroxostat on the serum urate levels and urinary albumin excretion in hyperuricemic stage 3 chronic kidney disease patients with or without gout. *Clin Exp Nephrol* **18** : 876-884, 2014
7) White WB, Saag KG, Becker MA, *et al.* : CARES Investigators : Cardiovascular Safety of Febuxostat or Allopurinol in Patients with Gout. *N Engl J Med* **378** : 1200-1210, 2018
8) Enomoto A, Kimura H, Chairoungdua A, *et al.* : Molecular

identification of a renal urate anion exchanger that regulates blood urate levels. *Nature* **417** : 447-452, 2002
9) Ichida K, Hosoyamada M, Hisatome I, *et al.* : Clinical and molecular analysis of patients with renal hypouricemia in Japan-influence of URAT1 gene on urinary urate excretion. *J Am Soc Nephrol* **15** : 164-173, 2004
10) 安西尚彦：疾患発症の基本ユニットとしてのトランスポートソーム．日本薬理学雑誌 **139** : 52-55, 2012
11) Li S, Sanna S, Maschio A, *et al.* : The GLUT9 gene is associated with serum uric acid levels in Sardinia and Chianti cohorts. *PLoS Genet* **3** : e194, 2007
12) Vitart V, Rudan I, Hayward C, *et al.* : SLC2A9 is a newly identified urate transporter influencing serum urate concentration, urate excretion and gout. *Nat Genet* **40** : 437-442, 2008
13) Anzai N, Ichida K, Jutabha P, *et al.* : Plasma urate level is directly regulated by a voltage-driven urate efflux transporter URATv1 (SLC2A9) in humans. *J Biol Chem* ***283*** : 26834-26838, 2008
14) Kamatani Y, Matsuda K, Okada Y, *et al.* : Genome-wide association study of hematological and biocheminal traits in a Japanese population. *Nat Genet* **42** : 210-215, 2010
15) Jutabha P, Anzai N, Kitamura K, *et al.* : Human sodium phosphate transporter 4 (hNPT4/SLC17A3) as a common renal secretory pathway for drugs and urate. *J Biol Chem* **285** : 35123-35132, 2010
16) Matsuo H, Takada T, Ichida K, *et al.* : Common defects of ABCG2, a high-capacity urate exporter, cause gout : a function-based genetic analysis in a Japanese population. *Sci Transl Med* **1** : 5ra11, 2009
17) Ichida K, Matsuo H, Takada T, *et al.* : Decreased extra-renal urate excretion is a common cause of hyperuricemia. *Nat Commun* **3** : 764, 2012
18) Matsuo H, Tsunoda T, Ooyama K, *et al.* : Hyperuricemia in acute gastroenteritis is caused by decreased urate excretion via ABCG2. *Sci Rep* **6** : 31003, 2016
19) Lee MH, Graham GG, Williams KM, *et al.* : A benefit-risk assessment of benzbromarone in the treatment of gout. Was its withdrawal from the market in the best interest of patients? *Drug Saf* **31** : 643-665, 2008
20) Otani N, Ouchi M, Kudo H, *et al.* : Recent approaches to gout drug discovery : an update. *Expert Opin Drug Discov* **15** : 943-954, 2020
21) 谷口哲也，芹澤直樹：新規尿酸降下薬ドチヌラド（ユリス®錠）の薬理学的特長及び臨床効果．日本薬理学雑誌 **155** : 426-434, 2020
22) Iwanaga T, Sato M, Maeda T, *et al.* : Concentration-dependent mode of interaction of angiotensin II receptor blockers with uric acid transporter. *J Pharmacol Exp Ther* **320** : 211-217, 2007
23) 安西尚彦，Jutabha P，木村 徹，他：新規尿酸排出トランスポーター URATv1 の尿酸輸送特性の解析．痛風と核酸代謝 **33** : 75, 2009
24) Nakamura M, Anzai N, Jutabha P, *et al.* : Concentration-dependent inhibitory effect of irbesartan on renal uric acid transporters. *J Pharmacol Sci* **114** : 115-118, 2010
25) Uetake D, Ohno I, Ichida K, *et al.* : Effect of fenofibrate on uric acid metabolism and urate transporter 1. *Intern Med* **49** : 89-94, 2010
26) Mandai A, Emerling D, Serafini T, *et al.* : Tranilast inhibits urate transport mediated by URAT1 and GLUT9. *Arthritis Rheum* **62** : 164, 2010
27) Mandal AK, Mercado A, Foster A, *et al.* : Uricosuric targets of tranilast. *Pharmacol Res Perspect* **5** : e00291, 2017
28) Mogensen UM, Køber L, Jhund PS, *et al.* : PARADIGM-HF Investigators and Committees : Sacubitril/valsartan reduces serum uric acid concentration, an independent predictor of adverse outcomes in PARADIGM-HF. *Eur J Heart Fail* **20** : 514-522, 2018
29) Selvaraj S, Claggett BL, Pfeffer MA, *et al.* : Serum uric acid, influence of sacubitril-valsartan, and cardiovascular outcomes in heart failure with preserved ejection fraction : PARAGON-HF. *Eur J Heart Fail* **22** : 2093-2101, 2020
30) Zhao Y, Xu L, Tian D, *et al.* : Effects of sodium-glucose co-transporter 2 (SGLT2) inhibitors on serum uric acid level : A meta-analysis of randomized controlled trials. *Diabetes Obes Metab* **20** : 458-462, 2018
31) Zhang S, Wang Y, Cheng J, *et al.* : Hyperuricemia and Cardiovascular Disease. *Curr Pharm Des* **25** : 700-709, 2019
32) King C, Lanaspa MA, Jensen T, *et al.* : Uric Acid as a Cause of the Metabolic Syndrome. *Contrib Nephrol* **192** : 88-102, 2018
33) Mallat SG, Kattar SA, Tanios BY, *et al.* : Hyperuricemia, Hypertension, and Chronic Kidney Disease : an Emerging Association. *Curr Hypertens Rep* **18** : 74, 2016

3 尿酸降下薬の種類と選択

要点

- 尿酸降下薬は尿酸生成抑制薬（プリン型キサンチン酸化還元酵素阻害薬，非プリン型キサンチン酸化還元酵素阻害薬），尿酸排泄促進薬（非選択的尿酸再吸収阻害薬，選択的尿酸再吸収阻害薬），尿酸分解酵素薬に大別される．
- 尿酸生成抑制薬はキサンチン酸化還元酵素阻害薬であるが，近年新たな非プリン型キサンチン酸化還元酵素阻害薬が創出され，中等度の腎障害を伴う患者までは通常用量での投与が可能となっている．
- 新たな非プリン型キサンチン酸化還元酵素阻害薬は，メルカプトプリン水和物またはアザチオプリンと併用禁忌薬であるが，誤って使用される医療事故の報告が少なくない．
- 尿酸排泄促進薬はおもに腎の尿酸トランスポーターの作用を修飾する薬剤であるが，近年より選択性の高い新たな再吸収阻害薬が創出されている．
- 尿酸分解酵素薬は腫瘍崩壊症候群に使用される．

血清尿酸値を低下させることは，痛風の治療や腎不全の進行予防に有用であることがこれまでも多くの成書に記されてきた．近年種々の生活習慣病（肥満症，高血圧，CKD，脂質異常症，耐糖能異常）にも高尿酸血症が関与するという報告もいくつかなされ，高尿酸血症を含む包括的治療に関する関心が高まってきている[1-3]．さらに一部の代謝性疾患治療薬には本来もつ作用のほかに副次作用として尿酸降下作用が証明されている薬剤もある[4]．こうした薬剤は薬剤数の減少が求められている高齢化社会における多剤併用（polypharmacy）の問題で注目されている[5]．さらに今後増加が予想される悪性腫瘍の化学療法中にみられる腫瘍崩壊症候群（TLS）の治療薬剤も紹介する．本項では尿酸降下薬を薬理作用ごとに分類したうえで，それぞれの開発の背景，特徴および臨床使用における留意点を示す．

尿酸降下薬はプリン型キサンチン酸化還元酵素（XOR）阻害薬，非プリン型XOR阻害薬，尿酸排泄促進薬（非選択的尿酸再吸収阻害薬，選択的尿酸再吸収阻害薬〈SURI〉），尿酸分解酵素薬に大別される．それぞれの薬剤の開発経緯や薬理作用の特徴を理解することは適応となる対象患者への薬剤選択に重要である．それを踏まえて患者個別の病態に最適化された薬剤の選択が可能となるように臨床使用上の配慮を記述した．

従来は高尿酸血症の病型分類を基に，原則として尿酸産生過剰型には尿酸生成抑制薬を，尿酸排泄低下型には尿酸排泄促進薬を使用することが推奨されていたが[6]，近年新たな尿酸排泄経路として消化管への排泄が注目されて新しい病型が加えられている．また，尿酸生成抑制薬と尿酸排泄促進薬の併用療法の有用性や，尿酸排泄低下型にも尿酸生成抑制薬が有効であるという報告[7,8]がなされている．さらに標的蛋白に対する選択性が高められた薬剤の開発によって，分類も変遷していることから，新たな臨床検討が期待される．

1 プリン型キサンチン酸化還元酵素阻害薬

アロプリノールはプリン異性体骨格を有し，当初抗腫瘍作用を期待して合成されたが，1963年に血中および尿中の尿酸値を低下させる作用が認められた．これを端緒として，高尿酸血症へのアロプリノールの応用が行われるようになった．アロプリノールは酵素基質であるヒポキサンチンに似た構造式によって，XORの活性中心に結合し，反応を受けオキシプリノールを生成する．オキシプリノールの一部がXORに弱い共有結合で反応中心に結合し，XOR活性を阻害し尿酸生成を阻害する[9]．わが国では痛風治療薬として1969年に発売され，ほぼ半世紀にわたって臨床的に用いられてきた．使用頻度の多さと長い歴史のため多くの副作用が知られており，ことに中毒性表皮壊死症や皮膚粘膜眼症候群および薬剤性過敏症症候群といった重篤な合併症の報告がある．合併症発症に対して近年のゲノム解析により，遺伝特異性への配慮が示されている[9]．さらに腎機能低下患者では，代謝されたオキシプリノールの血中濃度が上昇し副作用発生頻度が増えるため，用量調節が必要とされる．また，シクロスポリン，テオフィリンやワルファリンなど治療域血中濃度の限定された薬剤との相互作用も問題であり，この点にも留意する必要がある[9]．

2 非プリン型キサンチン酸化還元酵素阻害薬

1990年わが国で合成されたフェニルチアゾール誘導体のXOR阻害薬が，フェブキソスタットである．この薬剤はアロプリノールとは異なる様式でXOR阻害作用を発揮する．アロプリノールは，上述したとおり一種の自殺基質としてXOR活性を阻害している．一方，フェブキソスタットはXORの活性中心付近に結合し，基質となるキサンチンの結合をブロックし，酵素活性を低下させ尿酸生成を阻害している．続いて発売されたトピロキソスタットはフェブキソスタットとは異なり，自身が酵素により水酸化されながら中間体を維持し，さらにXORの酵素活性中心を埋め尽くすような形態で結合し，基質をブロックすることで尿酸生成を阻害している[9]．新規の2薬剤はアロプリノールとは異なり胆汁からの排泄経路を有するため中等度までの腎機能低下患者に対しても減量の必要なく使用可能である．さらに競合的なXOR阻害作用ではないため，アロプリノールと比して薬剤相互作用の少ないことも特徴で利用しやすい反面，薬価は高い[10,11]．米国では米国食品医薬品局（Food and Drug Administration：FDA）がフェブキソスタットにおいて市販後調査における二次エンドポイントとしての心血管イベント発症がアロプリノールに比して多いリスクを取り上げ，アロプリノールを第一選択薬としている[12]．その後英国で行われたFAST試験ではアロプリノールと比較してフェブキソスタットは非劣性であることが示された[13]．そのうえで，アロプリノール使用にあたっては腎機能低下群でのリスクや薬物相互作用のリスクを十分に考慮する必要があるとしている．

さらにメルカプトプリン水和物，またはアザチオプリンとの相互作用はプリン型と非プリン型のいずれのXOR阻害薬にも共通しているので注意すべきである．アロプリノールでは減量方法などが示されているが，フェブキソスタット，トピロキソスタットでは相互併用禁忌薬としてあげられているのみである．しかしまだ新しく周知徹底の遅れからか，医療事故の報告が少なくない．2017年にも公益財団法人日本医療機能評価機構から「医療安全情報　No.129」併用禁忌薬報告のなかでフェブキソスタットとアザチオプリンの併用が最も頻度の多い事例として改めて注意喚起がなされている[14]．

なお，アロプリノールの適応症は「高尿酸血症・痛風を合併した高血圧」であるが，フェブキソスタットとトピロキソスタットは「高尿酸血症または痛風」であることにご注意いただきたい．

3 非選択的尿酸再吸収阻害薬

尿酸トランスポーター1（URAT1）阻害薬として，ベンズブロマロン，ロサルタン，lesinurad（日本では未承認），有機酸トランスポーター阻害薬として，プロベネシド，作用機序詳細不明として，スルフィンピラゾン（日本では発売中止），ブコロームがあげられる．

URAT1は尿酸排泄機能において最も早く同定された尿酸トランスポーターであり，主として尿細管に分布し尿酸再吸収に関与している[15]．その後多くのトランスポーターの同定が進み，尿細管を中心とした尿酸再吸収および排泄のメカニズムが明らかとなってきた．この領域の薬剤は尿酸トランスポーターの研究を基礎にした分子生物学の進歩とともに作用機序が解明されてきたものが多い[16]．

プロベネシドは最近使用される頻度も少なくなっているが，第二次世界大戦中貴重であったペニシリンの血中濃度を2から4倍に増強する作用が注目され，開発された有機アニオントランスポーター阻害薬である．ペニシリンの尿中排泄を抑制する一方で，尿酸降下作用が認められ使用されてきた．ただしペニシリンに対する作用と同様の機序でほかの薬剤との相互作用が多く，十分な注意が必要である．

続いて創薬されたベンズブロマロンは，のちに

URAT1阻害薬であることが判明した尿酸排泄促進薬であるが，2000年に厚生労働省より緊急安全性情報として劇症肝炎症例が報告された．その後，フランスでは製造販売中止薬剤となったが，ドイツ，オランダ，オーストラリアや中国を含むアジアでは引き続き使用されている．厚生労働省の勧告では投与開始後少なくとも6か月間は必ず，定期的に肝機能検査を行うこととされており，十分な観察のもとで初期投与を行う必要がある．また，ベンズブロマロンもCYP2C9阻害作用があるため，ワルファリンを含む薬剤相互作用に留意する必要がある[17]．

その後，当初降圧薬として開発された，最初のアンジオテンシンII受容体拮抗薬（ARB）であるロサルタンにURAT1阻害作用が確認され[4]，その尿酸排泄促進に伴う血清尿酸降下作用が証明されている．また高脂血症薬であるフェノフィブラートにも同様の作用が確認されている[18]．非選択的尿酸再吸収阻害薬やSURIでは尿路管理が重要であり，この点については後述する．

4 選択的尿酸再吸収阻害薬

ドチヌラドはSURIとしてわが国で開発され，特徴としてはURAT1阻害作用が強く，かつABCG2，OAT1およびOAT3といった他の尿酸トランスポーターに対する阻害作用が弱いことである．URAT1への選択性が強い尿酸再吸収阻害作用を有することで，ABCG2が小腸で関与するとされる腎外排泄を抑制しにくく，腎での尿酸排泄負荷を減らす可能性があると考えられている[19]．ドチヌラド2mg/日はフェブキソスタット40mg/日，ベンズブロマロン50mg/日と同等の尿酸降下作用が報告されている．

高尿酸尿症は尿酸結石のみならず尿路結石全般の危険因子である．従来の尿酸排泄促進薬である非選択的尿酸再吸収阻害薬と同様にSURIでは尿路に排泄される尿酸が投与初期に増加する可能性がある．このためこれらの薬を使用する際には尿路結石予防のための尿路管理を十分行う必要性があることに留意すべきである．水分を十分に摂取し，1日尿量が2L以上になるようにし，また，酸性尿では尿路結石形成が容易となりうるため，尿をアルカリ化させるための食品摂取やクエン酸カリウム・クエン酸ナトリウム水和物錠投与を検討する必要がある[20]．

5 尿酸分解酵素薬

尿酸酸化酵素としてラスブリカーゼ（TLSにのみ適応）があげられる．わが国で2009年に承認された遺伝子組み換え型の尿酸オキシダーゼである．腫瘍細胞を化学療法などで急激に破壊する際に，細胞内の核酸やカリウム，リン酸などが血中に大量に放出される．これらの細胞内成分の急速な放出による多臓器障害の結果，高尿酸血症，高カリウム血症，高リン血症，乳酸アシドーシス，低カルシウム血症が急速に生じ循環不全や急性腎不全などから多臓器不全をもたらす病態が形成されるが，これを腫瘍崩壊症候群（TLS）と称する．まれに重篤な転帰をとることもあり，oncologic emergencyの1つとして念頭に置くべきである．本薬剤は，尿酸をより可溶性が高く腎から排出されやすいアラントインに分解することで，血清尿酸値を低下させるため，即効性が期待される．

ただし，ラスブリカーゼ投与の1割でみられる抗体産生のため，再投与の際にアナフィラキシーが生じること，また日本人には少ないとされるがグルコース6リン酸デヒドロゲナーゼ（G6PD）欠損症またはその他の溶血性貧血を引き起こしうる赤血球酵素異常を有する患者には禁忌であること，薬価が高価であることなどが問題とされている[21]．ラスブリカーゼが使用できない症例に対しては尿酸生成抑制薬を使用することが推奨されている．

6 その他

糖尿病治療薬であるSGLT2阻害薬やGLP-1受容体作動薬に尿酸排泄作用が認められているほか，高コレステロール血症治療薬であるアトルバスタチンにも血清尿酸降下作用が報告されている[22-24]．カルシウム拮抗薬のシルニジピンなどの降圧薬にも尿酸降下作用があるとされ，研究が進行中である．今後もこうした副次作用の検討は新たな創薬とともに進められていくと思われる[25]．さらにこうした作用薬は，老年医学会等で指摘されている人口の高齢化に伴う多剤併用（polypharmacy）の問題[5]に対する1つの解決策になる可能性を秘めていると思われる．

おわりに

この項では薬理作用の違いに基づいて5つのカテゴ

リーに分類して高尿酸血症治療薬を紹介した．アロプリノールが唯一の尿酸生成抑制薬であった時代から40年を経て，副作用や薬理学的な相互作用が少ない新しい薬剤が上市され，臨床応用されている．SURIが開発され，今後，併用治療や病型分類に応じた薬剤選択について，さらなる検討をすることが必要である．このように数多くの高尿酸血症治療薬をわれわれは手にすることが可能となり[26]，今後が期待される．

文　献

1) Fang J, Alderman MH : Serum uric acid and cardiovascular mortality the NHANES I epidemiologic follow-up study, 1971-1992. National Health and Nutrition Examination Survey. *JAMA* **283** : 2404-2410, 2000
2) Neri L, Rocca Rey LA, Lentine KL, *et al.* : Joint association of hyperuricemia and reduced GFR on cardiovascular morbidity : a historical cohort study based on laboratory and claims data from a national insurance provider. *Am J Kidney Dis* **58** : 398-408, 2011
3) Sui X, Church TS, Meriwether RA, *et al.* : Uric acid and the development of metabolic syndrome in women and men. *Metabolism* **57** : 845–852, 2008
4) Edwards RM, Trizna W, Stack EJ, *et al.* : Interaction of nonpeptide angiotensin II receptor antagonists with the urate transporter in rat renal brush-border membranes. *J Pharmacol Exp Ther* **276** : 125-129, 1996
5) 日本老年医学会（編）：薬物有害事象の回避．高齢者薬物療法の注意点　高齢者の安全な薬物療法ガイドライン2015．メジカルビュー社，12-16，2015
6) 日本痛風・核酸代謝学会ガイドライン改訂委員会（編）：尿酸降下薬の種類と選択．高尿酸血症・痛風の治療ガイドライン（第2版）．メディカルレビュー社，83-86, 2010
7) 大野岩男，岡部英明，山口雄一郎，他：腎機能障害を合併する痛風・高尿酸血症症例におけるアロプリノール・ベンズブロマロン併用療法の有用性　オキシプリノール動態の検討から．日本腎臓学会誌 **50** : 506-512, 2008
8) Yamamoto T, Hidaka Y, Inaba M, *et al.* : Effects of febuxostat on serum urate level in Japanese hyperuricemia patients. *Mod Rheumatol* **25** : 779-783, 2015
9) Hershfield MS, Callaghan JT, Tassaneeyakul W, *et al.* : Clinical Pharmacogenetics Imprementation Consortium Guidelines for Human Leukocyte Antigen-B Genotype and Allopurinol Dosing. *Clincal Pharmacology & Therapeutics* **93** : 153-158, 2013
10) 医薬品インタビューフォーム　フェブリク®錠　10 mg，20 mg，40 mg　2016年5月改訂（第7版）
https://medical.teijin-pharma.co.jp/iyaku/product/fcn28e0000000c2v-att/fcn28e0000000c63.pdf
11) 医薬品インタビューフォーム　トピロリック®錠　20 mg，40 mg，60 mg　2016年6月改訂（第4版）
www.m-fujiyakuhin.com/medical/pdf/topiloric/topiloric_interview.pdf
★12) White WB, Saag KG, Becker MA, *et al.* : CARES Investigators. Cardiovascular Safety of Febuxostat or Allopurinol in Patients with Gout. *N Engl J Med* **378** : 1200-1210, 2018
★13) Mackenzie I, Ford I, Nuki G, *et al.* : Long-term cardiovascular safety of febuxostat compared with allopurinol in patients with gout（FAST）: a multicentre, prospective, randomised, open-label, non-inferiority trial. *Lancet* **396** : 1745-1757, 2020
14) 医療安全情報　No.1 2 9 併用禁忌の薬剤の投与（第2報）．公益財団法人日本医療機能評価機構，2017
https://www.ajha.or.jp/topics/admininfo/pdf/2017/170817_3.pdf
15) Enomoto A, Kimura H, Chairoungdua A, *et al.* : Molecular identification of a renal urate anion exchanger that regulates blood urate levels. *Nature* **417** : 447-452, 2002
16) 安西尚彦，JUTABHA Promsuk，木村 徹，他：腎臓の尿酸トランスポーター：最近の進歩．痛風と核酸代謝 33 : 7-15, 2009
17) 医薬品インタビューフォーム　ユリノーム®錠　25 mg，50 mg　2011年11月（改訂第4版）
http://www.torii.co.jp/iyakuDB/data/if/if_urn.pdf
18) Uetake D, Ohno I, Ichida K, *et al.* : Effect of fenofibrate on uric acid metabolism and urate transporter 1. *Intern Med* **49** : 89-94, 2010
★19) 久留一郎：注目の新薬　ユリス®（ドチヌラド）．診断と治療 **108** : 1235-1240, 2020
20) 山口 聡：尿路結石のリスクファクターとしての尿酸　高尿酸血症と痛風 **18** : 53-58, 2010
21) 医薬品インタビューフォーム　ラスリテック®点滴静注用 1.5 mg，7.5 mg　2015年5月改訂（改訂第5版）
https://e-mr.sanofi.co.jp/-/media/EMS/Conditions/eMR/di/interview/rasuritek.pdf
22) 地野之浩，玉井郁巳：SGLT2阻害薬ルセオグリフロジンの血清尿酸値低下作用．痛風と核酸代謝 **39** : 78, 2015
23) Lytvyn Y, Har R, Locke A, *et al.* : Renal and Vascular Effects of Uric Acid Lowering in Normouricemic Patients with Uncomplicated Type 1 Diabetes. *Diabetes* **66** : 1939-1949, 2017
24) Ogata N, Fujimori S, Oka Y, *et al.* : Effects of three strong statins（atorvastatin, pitavastatin, and rosuvastatin）on serum uric acid levels in dyslipidemic patients. *Nucleosides Nucleotides Nucleic Acids* **29** : 321-324, 2010
25) Hamada T, Yamada K, Mizuta E, *et al.* : Effects of cilnidipine on serum uric acid level and urinary nitrogen monoxide excretion in patients with hypertension. *Clin Exp Hypertens* **34** : 470-473, 2012
26) 梅津浩平：各論（生活習慣病）4.5 痛風・高尿酸血症薬：医薬品創製技術の系統化調査．国立科学博物館技術の系統化調査報告 22，国立科学博物館，198-202, 2015
http://sts.kahaku.go.jp/diversity/document/system/pdf/089.pdf（2017年10月2日）

4 高尿酸血症

要点

- 高尿酸血症の治療では，心血管病など生命予後に関係する肥満，高血圧，糖・脂質代謝異常などとともに，高尿酸血症の発症に関連する生活習慣を改善することが最も大切である.
- 痛風関節炎を繰り返す患者や痛風結節を認める患者は薬物治療の適応となり，血清尿酸値を 6.0 mg/dL 以下に維持するのが望ましい.
- 痛風関節炎を誘発させないために，尿酸降下薬は最小量から開始すべきで，必要に応じてコルヒチンカバーを併用する.
- 無症候性高尿酸血症への薬物治療の導入は血清尿酸値 8.0 mg/dL 以上を一応の目安にするが，適応は慎重にすべきで，現時点で得られているエビデンスや薬物の副作用について情報を患者に示し納得のうえで開始することが望ましい.

痛風の基礎病態である高尿酸血症は遺伝素因に不適切な生活習慣が加わって発症する生活習慣病の1つであり，治療原則は生活習慣の改善にある（第2章 12 生活指導［p.56］参照）.

1 治療目標

高尿酸血症が持続することでもたらされる関節をはじめとする体組織への尿酸塩沈着を解消し，痛風関節炎や腎障害などの尿酸塩沈着症状を回避することが狭義の高尿酸血症の治療目標となる．また，肥満，高血圧，糖・脂質代謝異常などの合併症にも配慮して，生活習慣を改善し，必要に応じて薬物治療を導入することで，心血管病（CVD）のリスクが高い高尿酸血症・痛風患者の生命予後の改善を図ることが最終的な治療目標となる.

2 痛風

痛風関節炎は，高尿酸血症が持続することで関節内などに析出した尿酸一ナトリウム（MSU）結晶によって引き起こされる急性関節炎である．痛風関節炎を引き起こすMSU結晶の起源としては，血清尿酸値の急激な上昇に伴って新たに生じた結晶と，すでに関節内に析出沈着していた痛風結節からはがれ落ちた（crystal shedding）結晶とが考えられているが，後者の場合が多い．すなわち痛風関節炎は関節内ないしはアキレス腱など炎症の場にMSU結晶沈着が存在する証拠と考えることができ，最終的にはこれらの部位からMSU結晶を融解，消失させることが痛風治療の目標となる．MSU結晶を体組織から消失させるためには尿酸の体液中での溶解限界と考えられる6.4 mg/dLよりも低い6.0 mg/dL未満に血清尿酸値を維持することが重要であるとされる[1,2]．約5年間6.0 mg/dL未満を維持していた痛風患者が尿酸降下治療を中止すると3年以内に約40%の患者で痛風関節炎が再発し，血清尿酸値が高いほど再発時期が短いことが報告されている[3]．生活習慣の改善が痛風治療の基本ではあるが，生活指導だけでは血清尿酸値6.0 mg/dL未満を達成することが難しいため，尿酸降下薬の投与が必要とならざるを得ない．crystal sheddingは血清尿酸値が急激に低下した場合や患部の微小外傷などによってもたらされることが多く，特に尿酸降下薬開始時の血清尿酸値の低下が誘因となる場合が多い[4]．したがって，痛風患者に対する尿酸降下薬の投与は初めて痛風関節炎を起こした患者では関節炎を完全に鎮静化してから開始すべきであり，投与量も血清尿酸値の降下幅をできるだけ小さくするために最小量の投与量で開始し，1～2か月ごとに漸増することが推奨されている[1,2]．従来，尿酸降下薬の選択は治療効果や副作用発現を考慮して病型に即した選択法が原則として推奨されてきたが[5]，尿酸排泄低下型に対しても尿酸生成抑制薬のフェブキソスタットは良好な尿酸降下作用を示し，かつ安全に使用できることが示されたことから[6]，腎負荷型（尿酸産生過剰型と腎外排泄低下型），尿路結石の保有ないしは既往，また慢性腎臓病（CKD）ステージ4期以上の腎障害を合併する患者では尿酸生成抑制薬の投与が望ましいが，その他の患者では尿酸生成抑制薬か尿酸排泄促進薬のいずれの投与を選択しても効果に差を生じることはないと考えられる[5]．

一方，尿酸降下薬を服用中に痛風関節炎を起こした患者では，尿酸降下薬を中止することなく，投与を継続して痛風関節炎に対する治療を上乗せすることが勧められる．尿酸降下療法（ULT）の開始時に起こりやすい痛風関節炎を予防するためにコルヒチンを少量（0.5 mg/日）連用するコルヒチンカバーが有用である[4]．コルヒチンカバーの期間が8週間では中止後に痛風関節炎が頻発することから，6か月が妥当であると欧米のガイドラインでは推奨している[2,7]．しかし，欧米ではULTの初期投与量がわが国に比べて多く（フェブキソスタットの場合40～80 mg），フェブキソスタットを10 mgから開始して漸増する場合にはコルヒチンカバーは必ずしも必要ないかもしれない．血清尿酸値を低く維持するほど痛風結節の縮小速度は速まるため，皮下結節を生じているような大きな痛風結節を有する患者では血清尿酸値の目標値をさらに低い5.0 mg/dL以下にすることが勧められる[1,2]．

3 無症候性高尿酸血症

高尿酸血症が長年持続すると痛風関節炎や痛風結節，腎障害，尿路結石などMSU結晶が関与する臨床症状が顕性化してくるが，このなかで痛風関節炎と痛風結節をきたしたものが痛風で，これらのないものが無症候性高尿酸血症として臨床的には区別される．無症候性高尿酸血症患者の関節内にも痛風結節がかなりの頻度で存在することが，関節エコー検査やdual energy CT（DECT）検査で示されてきてはいるが[8]，欧米のガイドラインなどでは，ことに薬物治療の適応に関して，無症候性高尿酸血症は痛風とは区別される病態として存在する[1,2]．

多くの生活習慣病と同様に高尿酸血症も遺伝素因に生活習慣の素因が加わって発症している．過食，高脂肪・高蛋白食嗜好，果糖摂取，常習飲酒，運動不足などの生活習慣は高尿酸血症の原因となるばかりでなく，肥満，メタボリックシンドローム，高血圧，脂質異常症，耐糖能異常など高尿酸血症の合併症とも深く関係する．高尿酸血症の生命予後に関連するCVDは，高尿酸血症もさることながら，これらの合併症の関与がより大きいと考えられることからも，無症候性高尿酸血症患者の対応では生活習慣を是正する食生活の指導が薬物治療に優先されるべきであり，薬物治療に対して消極的な欧米のガイドラインでもこの点に関しては一致をみている[1,2]．

無症候性高尿酸血症患者を対象に痛風発症をエンドポイントに設定したRCTは行われていないが，血清尿酸値が8.0 mg/dL，特に9.0 mg/dL以上の無症候性高尿酸血症患者では将来の痛風発症頻度が有意に高まることが大規模な観察研究で示されている[9]．また，CKD，高血圧，冠動脈疾患，脳卒中，心房細動，メタボリックシンドローム，非アルコール性脂肪性肝疾患（NAFLD），糖尿病などの発症に関して尿酸は独立した危険因子であることが数万人を対象とした観察研究のメタアナリシスで示されている．

尿酸降下薬による腎障害の進展抑制を検討した介入試験のメタアナリシスでは対照に比較して，血清クレアチニン値の増加，eGFRの低下が有意に抑制されることが示されている[10]．尿路結石については血清尿酸値高値よりは高尿酸尿症と酸性尿の関与が大きく，尿中の尿酸排泄の減少と尿のアルカリ化によって尿酸結石のみならずカルシウム結石の再発も防止される[11]．心不全患者では血清尿酸値が高いほど血管内皮機能が障害されやすく，アロプリノール投与がこれを好転させることが示されている[12]．NYHA3-4の慢性心不全患者にアロプリノールの活性代謝物であるオキシプリノールを投与して心不全の改善が得られるかをRCTで検討した報告があるが，臨床改善度でオキシプリノールの優位性は認められていない[13]．尿酸降下薬で治療している痛風患者を対象に心血管イベントの発症を検討した7論文（総数2,221人）についてのメタアナリシスでは，対照と比較して尿酸降下薬投与群で心血管イベントの発症は抑制されていない[14]．また，アロプリノール投与がメタボリックシンドロームの改善をもたらすかを検討した7論文（総数217人）のメタアナリシスでは血清尿酸値の低下は良好であったが，血清脂質の改善は認められていない[15]．

尿酸のリスクに関してのエビデンスが集積されてき

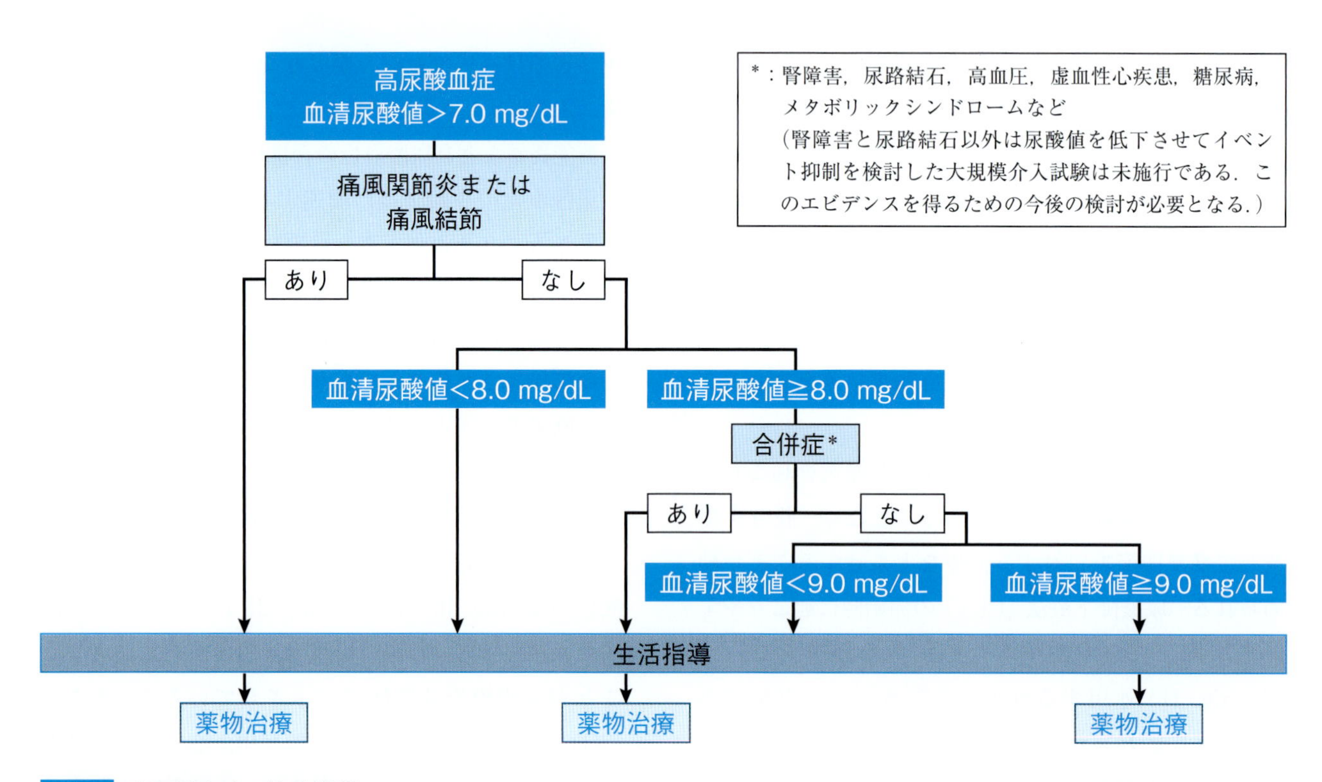

図1 高尿酸血症の治療指針

てはいるものの，ヒトを対象とした大規模な疫学研究は観察研究が主体で，腎障害やCVDの発症，進展の抑制を目標とした尿酸降下薬を用いた介入試験は今のところ小規模なものに過ぎず，その効果も一定とは言い難いことから，さらなるエビデンスの集積が必要である．このような理由から欧米のガイドラインでは無症候性高尿酸血症に対する薬物治療の適応については記載されていない[1,2]．わが国のこれまでのガイドラインでは欧米とは異なり一定の基準を満たす無症候性高尿酸血症に対しては薬物治療の適応を考慮してもよいとされており[5]，痛風を発症する前段階から薬物治療を導入することによって欧米でみられるような重症の慢性結節性痛風の頻度を低下させることに役立っている可能性はある．

4 治療の適応と実際

痛風関節炎を繰り返す患者や痛風結節を認める患者は生活指導の実践だけで体内のMSU結晶蓄積を解消することは難しく，薬物治療によって血清尿酸値を6.0 mg/dL以下に維持することが望ましい．この際，尿路結石の既往がある患者や，尿路結石を保有する患者には，尿酸生成抑制薬を投与して尿中の尿酸排泄も抑制する必要がある．

痛風関節炎をきたしていない無症候性高尿酸血症に対しての薬物治療は，尿路結石を含む腎障害やCVDのリスクと考えられる高血圧，虚血性心疾患，糖尿病，メタボリックシンドロームなどの合併症を有する場合は血清尿酸値8.0 mg/dL以上で考慮し，合併症を有しない場合は血清尿酸値9.0 mg/dL以上で考慮するという従来の基準を踏襲してもよいと考えられる（図1）．

合併症を有する無症候性高尿酸血症の場合は合併症の治療を優先し，この際に尿酸降下作用を有する薬物を選択することで血清尿酸値の低下を図ることができる．すなわち高血圧ではロサルタンカリウム[16]，高LDL血症ではアトルバスタチン[17]，高中性脂肪血症ではフェノフィブラート[18]，糖尿病ではSGLT2阻害薬[19]やピオグリタゾン[20]などを選択するとよい．

おわりに

痛風に対しての薬物治療適応に関しての異論は少ないと思われる．しかし，無症候性高尿酸血症については血清尿酸値をコントロールすることで臓器障害の発症ないし進展を抑制できるかの介入試験は小規模なものに過ぎず，今のところエビデンスは十分とはいえない．無症候性高尿酸血症に対しての薬物治療適応については，現時点で得られているエビデンスや薬物の副作用について情報を患者に示し納得のうえで尿酸降下薬を投与することが望ましい．

文　献

1) Khanna D, Fitzgerald JD, Khanna PP, *et al.* : 2012 American College of Rheumatology guidelines for management of gout. Part 1 : Systematic nonpharmacologic and pharmacologic therapeutic approaches to hyperuricemia. *Arthritis Care Res* **64** : 1431-1446, 2012
2) Richette P, Doherty M, Pascual E, *et al.* : 2016 updated EULAR evidende-based recommendation for the management of gout. *Ann Rheum Dis* **76** : 29-42, 2017
3) Perez-Ruiz F, Herrero-Beites AM, Carmona L : A two-stage approach to the treatment of hyperuricemia in gout : the "dirty dish" hypothesis. *Arthritis Rheum* **63** : 4002-4006, 2011
4) Wortmann RL, MacDonald PA, Hunt B, *et al.* : Effect of prophylaxis on gout flares after the initiation of urate-lowering therapy : analysis of data from three phase Ⅲ trials. *Clin therap* **32** : 2386-2397, 2010
5) 日本痛風・核酸代謝学会ガイドライン改訂委員会（編）：高尿酸血症の治療. 高尿酸血症・痛風の治療ガイドライン（第2版）. メディカルレビュー社, 80, 2010
6) Yamamoto T, Hidaka Y, Inaba M, *et al.* : Effects of febuxostat on serum urate level in Japanese hyperuricemia patients. *Mod Rheumatol* **25** : 779-783, 2015
7) Khanna D, Khanna PP, Fitzgerald JD, *et al.* : 2012 American College of Rheumatology guidelines for management of gout. Part 2 : Therapy and antiinflammatory prophylaxis of acute gouty arthritis. *Arthritis Care Res* **64** : 1447-1461, 2012
8) Puig JG, Beltran LH, Mejia-Chjem C, *et al.* : Ultrasonography in the diagnosis of asymptomatic hyperuricemia and gout. *Nucleosides Nucleotides Nucleic Acids* **35** : 517-523, 2016
9) Campion EW, Glynn RJ, DeLabry LO : Asymptomatic hyperuricemia ; Risks and consequences in the Normative Aging Study. *Am J Med* **82** : 421-426, 1987
10) Kanji T, Gandhi M, Clase CM, *et al.* : Urate lowering therapy to improve renal outcomes in patients with chronic kidney disease : systematic review and meta-analysis. *BMC Nephrol* **16** : 58 DOI 10. 1186/s12882-015-0047-z, 2015
11) Ettinger B, Tang A, Citron JT, *et al.* : Randomized trial of allopurinol in the prevention of calcium oxalate calculi. *N Engl J Med* **315** : 1386-1389, 1986
12) Kanbay M, Siriopol D, Nistor I, *et al.* : Effects of allopurinol on endothelial dysfunction : a meta-analysis. *Am J Nephrol* **39** : 348-356, 2014
13) Hare JM, Mangai B, Brown J, *et al.* : Impact of oxypurinol in patients with symptomatic heart failure : results of the OPT-CHF study. *J Am Coll Cardiol* **51** : 2301-2309, 2008
14) Zhang T, Pope JE : Cardiovascular effects of urate-lowering therapies in patients with chronic gout : a systematic review and meta-analysis. *Rheumatorogy* **56** : 1144-1153, 2017
15) Castro VMF, Melo AC, Belo VS, *et al.* : Effect of allopurinol and uric acid normalization on serum lipids hyperuricemic subjects : A systematic review with meta-analysis. *Cin Biochem* **50** : 1289-1297, 2017
16) Choi HK, Soriano LC, Zhang Y, *et al.* : Antihypertensive drugs and risk of incident gout among patients with hypertension : population based case-control study. *BMJ* **344** : d8190, 2012
17) Takagi H, Umemoto T : Atrovastatin therapy reduces serum uric acid levels : a meta-analysis of randomized controlled trials. *Int J Cardiol* **152** : 255-257, 2012
18) Derosa G, Maffioli P, Sahebkar A : Plasma uric acid concentrations are reduced by fenofibrate : a systematic review and meta-analysis of randomized placebo-controlled trials. *Pharmacol Res* **102** : 63-70, 2015
19) Zhao Y, Xu L, Tian D, *et al.* : Effects of sodium-glucose co-transporter 2 (SGLT2) inhibitors on serum uric acid level : A meta-analysis of randomized controlled trials. *Diabetes Obes Metab* **20** : 458-462, 2018
20) Koyama H, Tanaka S, Monden M, *et al.* : Comparison of effects of pioglitazone and glimepiride on plasma soluble RAGE and RAGE expression in peripheral mononuclear cells in type 2 diabetes : randomized controlled trial (PioRAGE). *Atherosclerosis* **234** : 329-334, 2014

第2章 治療

5 腎障害

要点

- 腎障害合併例では尿酸降下薬として原則として尿酸生成抑制薬を使用する．
- 尿酸生成抑制薬と尿酸排泄促進薬との併用療法も有効である．
- アロプリノールの使用量は腎機能の低下に応じて減じる必要がある．
- アロプリノールをはじめとするキサンチン酸化還元酵素阻害薬（尿酸生成抑制薬）による尿酸降下療法は腎障害進展抑制に有効である可能性がある．
- フェブキソスタット，トピロキソスタットは腎機能低下時でも使用できる可能性がある．
- 新規の選択的尿酸再吸収阻害薬であるドチヌラドが使用可能となり，他の尿酸トランスポーターに影響しないことからその有効性について注目されている．

慢性腎臓病（CKD）では高尿酸血症を有する割合が高いが，高尿酸血症がCKDを進展させるかは現在でも解決されないままとなっている．メタアナリシスでも明確な結論が出ないのは，おのおののRCTの症例数が少なく，観察期間が短いことが理由の1つである．これまで介入する薬物はおもにアロプリノールであった．中等度以上の腎障害でも有効性と安全性が高い新規の尿酸生成抑制薬が上市され，使用経験が蓄積されている．新規の薬物でのRCTによって新たなエビデンスが構築されることが期待される．

1 腎障害合併例の高尿酸血症に対しては原則として尿酸生成抑制薬を用いる

尿酸降下薬の選択はこれまで高尿酸血症のタイプによって選択することを原則としてきた．尿酸排泄促進薬は尿中への尿酸排泄が増加し，尿路結石，腎障害のリスクとなるとの理由からである．明らかな尿路結石までいかなくとも，尿細管管腔内に微小な尿酸結晶をきたす可能性は考えられる．さらに，尿酸排泄促進薬は腎障害が中等度から重度になると効果が薄れる場合があることも選択されにくい理由と思われる．

実際，これまでの腎障害を合併する高尿酸血症に対する介入試験はほとんどが尿酸生成抑制薬のアロプリノールを用いて実施されている[1]．ただし，アロプリノールは腎機能低下時には重篤な副作用を生じやすくなるため投与量を減じる必要がある（表1）．クレアチニンクリアランス（C_{Cr}）30 mL/分以下またはeGFR 30 mL/分/1.73 m^2未満のCKDステージ4では50 mg/日が推奨されており，尿酸降下効果は十分でないことがある．そこで，アロプリノール少量に加えて，腎機能が低下しても比較的効果の認められる尿酸排泄促進薬であるベンズブロマロン（25〜50 mg/日）を併用する治療法が検討されている[2]．この併用療法の利点は腎障害で副作用が多いアロプリノールの用量を減ずることができる点である．

近年上市された新規の尿酸生成抑制薬であるフェブキソスタットは，プリン体骨格を有さず，腎からの排泄に加えて胆汁からの排泄があるため比較的安全に使用できるとされる[3]．わが国においてCKDステージ3b〜5の患者70人に，フェブキソスタットを24週間投与してその有効性と安全性が検討された[4]．その結果は，血清尿酸値は40%以上低下し，血清尿酸値6.0 mg/dL以下の達成率は70%以上であった．副作用は70人中5例に認められ，しびれ，動悸，皮疹など軽度なもので，かつ薬物中止で回復した．さらにその後に上市されたトピロキソスタットも胆汁排泄経路で約半数が代謝されるので，腎障害時でも比較的安全に使用できると考えられる．本薬物を使用したCKDステージ3での検討

表 1　腎機能に応じたアロプリノールの推奨使用量

腎機能	アロプリノール投与量
C_{Cr} > 50 mL/ 分	100 ～ 300 mg/ 日
30 mL/ 分 < C_{Cr} ≦ 50 mL/ 分	100 mg/ 日
C_{Cr} ≦ 30 mL/ 分	50 mg/ 日
血液透析施行例	透析終了時に 100 mg
腹膜透析施行例	50 mg/ 日

C_{Cr}：クレアチニンクリアランス.

では，22 週までの観察において血清尿酸値 6.0 mg/dL 以下の達成率は 90% で，軽度のアラニンアミノ基転移酵素（ALT）上昇以外は大きな副作用はなかったとされている[5]．さらに尿中アルブミン排泄が約 33% 低下したとして，本薬物の尿アルブミン減少効果が将来的には腎保護につながる可能性を示唆する結果であった．

2　尿酸降下薬は CKD の進展を抑制する

CKD と高尿酸血症の関係は原因と結果が密接にリンクしているため，CKD の進展に対する高尿酸血症の因果関係を明らかにするためには，高尿酸血症に対する治療介入研究を行う必要がある．これまでに，いくつかの RCT が報告されている（表 2）[1,5-13]．

1）アロプリノール

最も古いもので Siu らの報告があり，彼らは尿蛋白が 0.5 g/ 日以上あるいは血清クレアチニン値が 1.35 ～ 4.50 mg/dL である CKD 患者において，アロプリノール 200 ～ 300 mg を用いる RCT 研究を行った．アロプリノールによる高尿酸血症治療群とコントロール群での 1 年後の血清クレアチニン値の上昇を比較すると，アロプリノール群では血清クレアチニン値の有意な上昇を示さなかったが，コントロール群では血清クレアチニン値の有意な上昇を示した．以上より，アロプリノールによる高尿酸血症治療は，CKD 患者の血清クレアチニン値の上昇を抑制したと報告している[6]．

Goicoechea らは，113 例の CKD ステージ 3 患者（eGFR 30 ～ 60 mL/ 分 /1.73 m^2）を対象に，アロプリノール（100 mg/ 日）投与群とコントロール群に分け 24 か月観察する RCT を行った．血清尿酸値と C 反応性蛋白（CRP）はアロプリノール投与群において有意に低下した．アロプリノール群では，年齢，性別，糖尿病の有無，CRP，アルブミン尿，レニン・アンジオテンシン（RA）系阻害薬使用の有無で調整しても腎機能低下が抑制された．心血管イベント発症リスクは 29% 低下したが，腎イベント（透析導入）の発症には有意差がつかなかった[7]．そこで，彼女らは観察期間をさらに 5 年延長したところ，有意な腎イベント（透析，血清クレアチニンの倍加，eGFR 50% 以上の低下）の発症抑制が認められたと報告している[12]．しかしながら延長期間中の薬物介入については自由選択としている点，さらに腎のアウトカムを変更していることに注意が必要である．本研究で興味あることは，コントロール群の平均血清尿酸値 7.2 mg/dL に対し薬物介入群は 6.5 mg/dL であり，わずか 0.7 mg/dL の差がハザード比を半分以下に抑えている点である．

表 2 で示した RCT を中心にメタアナリシスの結果が報告された．まず 2014 年の Bose らの検討では，5 つの RCT では eGFR に好ましい影響は認められなかった．3 つの RCT では血清クレアチニン値の上昇を抑制したが，トータルとしては有意ではなかった[14]．翌年 Kanji らは，ステージ 3 ～ 5 の CKD 患者 992 人を含む 19 の RCT のメタアナリシスを行った．eGFR の変化量については 5 つの RCT（Siu 2006，Momeni 2010，Goicoechea 2010，Kao 2011，Shi 2012）[6-8,10,11] が抽出され，アロプリノールはコントロール群と比べて，eGFR に有意に好ましい効果があったと報告している[15]．しかし，Kanji らの検討は血清クレアチニン値での報告[6,8] を eGFR に計算しなおしたもので，エビデンスレベルは高くないと思われる．また，いずれのメタアナリシスでも尿蛋白あるいは尿アルブミンに及ぼす影響については有意差に届かなかった．両方のメタアナリシスともに，試験デザイン，観察期間，多変量調整のパラメータに関してばらつきがあったと報告している[14,15]．

2）フェブキソスタット

少数例で短期間の RCT の結果が報告された．ステージ 3 ～ 4 の CKD 患者 93 人を対象にし，フェブキソスタットはコントロール群に比べて eGFR の低下を抑制した[13]．6 か月後の平均 eGFR はフェブキソスタット群で，31.5 ± 13.6 から 34.7 ± 18.1 mL/ 分 /1.73 m^2 に上昇する傾向にあった．コントロール群では 32.6 ± 11.6 から 28.2 ± 11.5 mL/ 分 /1.73 m^2 に有意に低下した．

表2　尿酸降下薬のCKD進行抑制効果に関するRCT

著者（発表年）	国；対象（症例数）；フォローアップ期間	薬物，1日投与量	腎機能進行抑制に関する知見
Siu (2006)[6]	中国；S_{Cr} 1.35～4.50 mg/dL (*n* = 54)；1年	アロプリノール，100～300 mg	eGFRの低下が抑制
Goicoechea (2010)[7]	スペイン；CKD 3 (*n* = 113)；2年	アロプリノール，100 mg	eGFRの低下が抑制
Momeni (2010)[8]	イラン；T2DM (S_{Cr} < 3.0 mg/dL) (*n* = 40)；4か月	アロプリノール，100 mg	蛋白尿が減少
Kanbay (2011)[9]	トルコ；CKD 2 (*n* = 97)；4か月	アロプリノール，300 mg	eGFRが86から90 mL/分/1.73 m^2に上昇
Kao (2011)[10]	イギリス；CKD 3 (*n* = 53)；9か月	アロプリノール，300 mg	eGFRは変化しなかった
Shi (2012)[11]	中国；IgA腎症 (*n* = 40)；6か月	アロプリノール，100～300 mg	eGFRは変化しなかった
Hosoya (2014)[5]	日本；CKD 3 (*n* = 122)；22週	トピロキソスタット，160 mg	eGFRは変化しなかった 尿アルブミン排泄量が33%低下した
Goicoechea (2015)[8]	スペイン；CKD 3 (*n* = 113)；7年	アロプリノール，100 mg	腎イベントの発生が減少
Sircar (2015)[13]	インド；CKD 3，4 (*n* = 93)；6か月	フェブキソスタット，40 mg	eGFRの低下が抑制
Kimura (2018)[16]	日本；CKD 3 (*n* = 467)；108週	フェブキソスタット，40 mg	eGFRの傾きは変化しなかった

S_{Cr}：血清クレアチニン，CKD：慢性腎臓病，eGFR：推算糸球体濾過量，T2DM：2型糖尿病．
〔Kumagai T, Ota T, Tamura Y, *et al.*: Time to target uric acid to retard CKD progression. *Clin Exp Nephrol* **21**: 182-192, 2017より改変〕

6か月後eGFRの10%以上の低下はフェブキソスタット群で38%であり，コントロール群の54%に比べて有意に少なかった．『ガイドライン（第3版）』発行後，わが国で施行されたフェブキソスタットを用いた前向き二重盲検RCTの結果が報告された[16]．日本人CKD患者467人（eGFR 30～60 mL/分/1.73 m^2）を対象に108週観察された．主要評価項目はeGFRの傾きで評価し，副次評価項目はeGFRの変化量，血清尿酸値，血清クレアチニン2倍化，透析導入であった．結果は，443人が最終的に解析され，eGFRの平均傾きはフェブキソスタット群（0.23 ± 5.26 mL/分/1.73 m^2/年），プラセボ群（－0.47 ± 4.48 mL/分/1.73 m^2/年）であり，有意差はなかった（[95%信頼区間，－0.21～1.62，*p* = 0.1]）．サブグループ解析では，蛋白尿が陰性の場合，血清クレアチニン値が中央値より低い場合にフェブキソスタットによるeGFR保護効果が認められた．痛風関節炎の発症は有意に低値であった（0.91% vs. 5.86%，*p* = 0.007）．また実薬介入群に有意な副作用は観察されなかった[16]．

3）トピロキソスタット

Hosoyaらは，痛風患者を含むCKDステージ3の患者を対象に新規の尿酸生成抑制薬であるトピロキソスタット160 mg群（62人）とコントロール群（61人）とを22週にわたり比較する二重盲検RCTを行った．血清尿酸値はトピロキソスタットにより45%低下したが，eGFRは有意な変化を認めなかった[5]．しかしトピロキソスタットにより尿アルブミン排泄量が33%低下したことが注目される．

おわりに

現在のところ，おもにアロプリノールを使用したメタアナリシスによって得られた結論のエビデンスレベルは高くはなく，CKDに合併する無症候性高尿酸血症に対して，CKDの進展抑制を目的に尿酸生成抑制薬を用いるべきであるとは断定できない．今後，新規の尿酸生成抑制薬を含むRCTが数多く実施され，質の高いエビデンスが構築されることを期待する．尿酸生成抑制薬はキサンチンオキシダーゼ活性を抑制することにより，スーパーオキシドなどの活性酸素種の産生を阻害するため，尿酸生成抑制薬の腎保護効果が認められても，酸化ストレスの軽減の結果なのか，血清尿酸値の低下によるものかは明らかにはできない．尿酸生成抑制薬の役割を理解するには，このように解釈が難しい状況が含まれることを考慮する必要がある．

文献

1) Kumagai T, Ota T, Tamura Y, *et al.* : Time to target uric acid to retard CKD progression. *Clin Exp Nephrol* **21** : 182-192, 2017
2) 大野岩男，岡部英明，山口雄一郎，他：腎機能障害を合併する痛風・高尿酸血症症例におけるアロプリノール・ベンズブロマロン併用療法の有用性　オキシプリノール動態の検討から．日腎会誌 **50** : 506-512, 2008
3) Becker MA, Schumacher HR, Espinoza LR, *et al.* : The urate-lowering efficacy and safety of febuxostat in the treatment of the hyperuricemia of gout : the CONFIRMS trial. *Arthritis Res Ther* **12** : R63, 2010
4) Shibagaki Y, Ohno I, Hosoya T, *et al.* : Safety, efficacy and renal effect of febuxostat in patients with moderate-to-severe kidney dysfunction. *Hypertens Res* **37** : 919-925, 2014
5) Hosoya T, Ohno I, Nomura S, *et al.* : Effects of topiroxostat on the serum urate levels and urinary albumin excretion in hyperuricemic stage 3 chronic kidney disease patients with or without gout. *Clin Exp Nephrol* **18** : 876-884, 2014
6) Siu YP, Leung KT, Tong MK, *et al.* : Use of allopurinol in slowing the progression of renal disease through its ability to lower serum uric acid level. *Am J Kidney Dis* **47** : 51-59, 2006
7) Goicoechea M, de Vinuesa SG, Verdalles U, *et al.* : Effect of allopurinol in chronic kidney disease progression and cardiovascular risk. *Clin J Am Soc Nephrol* **5** : 1388-1393, 2010
8) Momeni A, Shahidi S, Seirafian S, *et al.* : Effect of allopurinol in decreasing proteinuria in type 2 diabetic patients. *Iran J Kidney Dis* **4** : 128-132, 2010
9) Kanbay M, Afsar B, Covic A : Uric acid as a cardiometabolic risk factor : to be or not to be. *Contrib Nephrol* **171** : 62-67, 2011
10) Kao MP, Ang DS, Gandy SJ, *et al.* : Allopurinol benefits left ventricular mass and endothelial dysfunction in chronic kidney disease. *J Am Soc Nephrol* **22** : 1382-1389, 2011
11) Shi Y, Chen W, Jalal D, *et al.* : Clinical outcome of hyperuricemia in IgA nephropathy : a retrospective cohort study and randomized controlled trial. *Kidney Blood Press Res* **35** : 153-160, 2012
12) Goicoechea M, Garcia de Vinuesa S, Verdalles U, *et al.* : Allopurinol and progression of CKD and cardiovascular events : long-term follow-up of a randomized clinical trial. *Am J Kidney Dis* **65** : 543-549, 2015
13) Sircar D, Chatterjee S, Waikhom R, *et al.* : Efficacy of Febuxostat for Slowing the GFR Decline in Patients With CKD and Asymptomatic Hyperuricemia : A 6-Month, Double-Blind, Randomized, Placebo-Controlled Trial. *Am J Kidney Dis* **66** : 945-950, 2015
14) Bose B, Badve SV, Hiremath SS, *et al.* : Effects of uric acid-lowering therapy on renal outcomes : a systematic review and meta-analysis. *Nephrol Dial Transplant* **29** : 406-413, 2014
15) Kanji T, Gandhi M, Clase CM, *et al.* : Urate lowering therapy to improve renal outcomes in patients with chronic kidney disease : systematic review and meta-analysis. *BMC Nephrol* **16** : 58, 2015
★16) Kimura K, Hosoya T, Uchida S, *et al.* : Febuxostat Therapy for Patients With Stage 3 CKD and Asymptomatic Hyperuricemia : A Randomized Trial. *Am J Kidney Dis* **72** : 798-810, 2018

6 尿路結石

要点

- 高尿酸血症・痛風に合併する尿路結石の予防には，1 日尿量を 2,000 mL 以上確保するような飲水指導が有効である．
- 尿路結石を合併する高尿酸血症の治療薬は，尿酸生成抑制薬が第一選択である．
- 尿酸排泄促進薬は尿路結石形成に促進的に作用するため，原則として尿路結石合併例には使用しない．
- 尿アルカリ化はクエン酸製剤を中心とし，尿 pH は 6.0 ～ 7.0 の維持を目標とする．並行してプリン体の過剰摂取制限などの食事療法が必須である．
- 高尿酸尿（症）を伴うシュウ酸カルシウム結石の再発防止にも，尿酸生成抑制薬と尿アルカリ化薬が有効である．

高尿酸血症や痛風の尿路管理において，①尿路結石の既往がある患者，②尿路結石を有している患者，に対して，それぞれ対応が必要である．具体的には，どのように尿路結石の発生や再発を予防するか，どのように既存の尿路結石を治療するか，が重要となる．高尿酸血症や痛風に合併する尿路結石症は，尿酸生成抑制薬や尿アルカリ化薬の適正な使用により十分に制御が可能であるため，その病態を正しく理解して治療を行うことが望まれる．

1 尿路結石の発生予防

尿酸結石と尿酸代謝異常を有するシュウ酸カルシウム結石の発生予防が中心となる．これらの尿路結石の危険因子として，①尿量低下あるいは水分摂取不足，②持続する酸性尿，③尿中尿酸排泄量の増加，があげられる[1,2]．さらに食事性の要因であるプリン体の過剰摂取が加わると，これらの尿路結石の発生リスクがさらに上昇する[3,4]．したがって，これらを是正することにより，尿路結石の形成を抑制することが可能である．

飲水指導は，尿中に排出される尿酸，シュウ酸やカルシウムなどの結石形成関連物質の飽和度を減少させることが目的であり[4]，わが国では 2,000 ～ 2,500 mL/日程度の水分摂取により，尿量を 2,000 mL/日以上確保することが目標となる[3]．なお水分の補給源として，アルコール，果糖やプリン体を多く含むものは，結石形成関連物質の増加につながるため避けることが勧められる．

尿中尿酸の溶解度は，尿 pH に大きく依存しており，pH 6.5 では pH 5.0 の 10 倍の溶解度である[5]．すなわち酸性尿では尿酸結晶が析出しやすく，持続する酸性尿は，尿酸代謝に関係して発生する尿路結石の最も大きな危険因子と考えられる[1]．そのため高尿酸血症や痛風の尿路管理において，尿アルカリ化は必須である．

尿アルカリ化薬は，わが国ではクエン酸製剤（クエン酸カリウムおよびクエン酸ナトリウムとの合剤）を使用することが多い．ナトリウム過剰負荷の可能性がある重炭酸ナトリウムは，欧州において尿路結石症ガイドラインにその記載が残されているが[6]，わが国の重炭酸ナトリウムとクエン酸製剤の臨床検討において，クエン酸製剤が優れた尿アルカリ化効果を有することが示されている[7]．尿酸結石患者の検討でも，クエン酸カリウム，クエン酸ナトリウムともに尿 pH を上昇させ，尿中クエン酸排泄量が増加することが確認された[8]．体内でのクエン酸動態として，クエン酸は摂取後，肝で速やかに代謝され，重炭酸イオンを生成，尿細管からの排泄に伴って尿のアルカリ化効果を発揮すると考えられている[9]．実際に，クエン酸カリウムの投与でシュウ酸カルシウム結石の再発を抑制したと報告されている[10]．しかし，わが国で使用可能なクエン酸製剤はカリウムを含むため，血清カリウム値には留意する．また過度の尿アルカリ化（尿 pH 7.5 以上）は，リン酸カルシウムや尿酸一ナトリウム（MSU）の析出を促進するため，尿 pH は 6.0 以上，7.0 未満の維持を目標とする．なお食事療法の詳細は後述するが，動物性蛋白質摂取の制限，特にプリン体の過剰摂取制限が有効である．

高尿酸血症が腎負荷型（尿酸産生過剰型と腎外排泄低下型）であり，尿中尿酸排泄量の増加をきたしている場合は，尿酸生成抑制薬が選択される．尿酸生成抑制薬としてはキサンチン酸化還元酵素（XOR）阻害薬が使用され，わが国では現在，アロプリノール，フェブキソスタット，トピロキソスタットが処方可能である．XOR阻害薬は，ヒポキサンチンからキサンチンへ，キサンチンから尿酸への二段階の反応を触媒する酵素を阻害し，結果として尿中ヒポキサンチンやキサンチン濃度を上昇させる[11]．ただヒポキサンチンの尿中排泄は微量であり，またキサンチンは尿中溶解度がかなり高いため，通常はヒポキサンチンやキサンチンの結晶は尿中では形成されにくい．しかしアロプリノールの長期投与や大量投与により，まれにキサンチン結石を認めることがあり注意を要する[12]．

一方，高尿酸血症の病型分類として，元来，尿酸排泄低下型が多いため，尿酸排泄促進薬（プロベネシド，ブコローム，ベンズブロマロン）の使用機会が多いと思われる．その薬理作用として，尿中尿酸排泄量を増加させるため，尿アルカリ化やプリン体の摂取制限が不十分な場合，尿酸結石の形成を促進させる[5]．したがって，尿路結石を合併している症例には，原則として尿酸排泄促進薬を使用すべきではない．

しかし，実際に高尿酸血症を有する尿路結石患者の病型分類を試みると，尿酸排泄低下型が腎負荷型（尿酸産生過剰型と腎外排泄低下型）の約4倍にもなっていることが明らかとなっている[13]．尿路結石を合併する尿酸排泄低下型高尿酸血症の症例に，尿酸排泄促進薬が使用できない場合，病型に応じた薬物選択に難渋する場合が想定される．Yamamotoら[14]は尿中尿酸排泄量の多寡にかかわらず，尿酸生成抑制薬（フェブキソスタット）の有効性を報告し，尿酸排泄低下型の高尿酸血症を有する尿路結石症患者の再発予防の可能性を示した．

高尿酸尿を伴うシュウ酸カルシウム結石の再発予防としては，これまでアロプリノールとフェブキソスタットの有効性が報告されている．園田ら[15]は，再発性シュウ酸カルシウム結石患者にアロプリノール（300 mg/日）を投与し，2年以上の経過観察期間において，尿中尿酸排泄量が低下し，結石再発率も低下することを示した．また米国のRCTにおいてもアロプリノール（300 mg/日）の投与により，シュウ酸カルシウム結石の2年再発率が有意に低下したと報告されている[16]．一方，フェブキソスタット（80 mg/日）と，アロプリノール（300 mg/日）およびプラセボとのRCTが行われ，フェブキソスタット群（6か月間投与）において，既存の結石サイズや数に変化は認めなかったが，尿中尿酸排泄量が有意に低下したことが確認された[17]．

2020年から新規に使用可能となった選択的尿酸再吸収阻害薬（SURI）（ドチヌラド）は，近位尿細管において尿酸再吸収に作用するトランスポーター1（URAT1）を選択的に阻害することで血清尿酸値を低下させる．したがって作用機序としては選択的尿酸再吸収阻害薬に属する．ドチヌラド投与前後の尿中尿酸排泄量の検討[18]では，ドチヌラド投与1日目には尿中尿酸排泄量が投与前の2.2倍に増加するが，2日目以降は漸減し，8日目には投与前の約85%まで減少する．ドチヌラドの投与早期においては，尿中尿酸排泄量の増加がみられるものの，血清尿酸値の下降とともにやがて基準域内に達するものと考えられている．尿中尿酸排泄量が常に高値を示さないため，尿路結石を有する高尿酸血症症例に対するドチヌラドの投与は，十分な尿量の確保と尿アルカリ化に留意すれば，現時点では禁忌とされてはいない．しかしながらドチヌラドは尿中への尿酸排泄量を増加させる以上，治療上やむをえないと判断される場合をのぞき，尿路結石合併例には投与しないと考えるべきである．本領域については，今後，さらなる臨床検討が必要である．

2 尿路結石の治療

1） 積極的治療

結石の種類にかかわらず，尿路結石の除去は，体外衝撃波結石破砕術（ESWL）と経皮的腎砕石術，経尿道的尿管砕石術などの内視鏡的治療によって行われる．ただし尿酸結石は放射線透過性結石であるため，そのイメージングには工夫を要する[5]．結石の位置，結石の性状や結石の周囲臓器との関係などの術前評価はきわめて重要であり，実際にはX線CT，排泄性尿路造影や逆行性腎盂尿管造影などを組み合わせて施行される．最近では，異なる2つのエネルギー値のX線CTで撮影することにより，術前に結石成分の推定が可能なdual energy CT（DECT）が多くの施設で行われるようになってきた．DECTは，物質固有のエネルギー透過性の違いから新たな画像情報を取得し，特に尿酸結石とカルシウム含有結石の物質弁別に有用である[19]．同時に測定したCT値によって結石硬度の推定も容易であり，多くの画像情報から適切な治療方法を選択することが可能となっている．またESWLの際，尿アルカリ化療法を併用することで良好な治療成績[20]も報告されている．

2) 結石溶解療法

高齢である，出血傾向がある，抗血栓療法を中止できない，ほかの重大な合併症を有している，などの理由により，積極的には結石除去治療を適用できない例に対して，あらかじめ尿酸結石であることが推定されれば，結石溶解療法の選択が可能である．この判断には，従来の腹部単純撮影，単純CTや超音波断層法による総合的な診断や前述したDECTが有用である．結石溶解療法は，尿酸結石に対する特異的な治療法であり，十分な尿量を確保しながら，尿アルカリ化薬の内服により，既存の尿酸結石を溶解させることが可能である[5]．その際，尿酸生成抑制薬が併用されることも多いが，尿酸結石の完全溶解には，通常，6か月～1年以上の長期間を要する．一方，尿の過度のアルカリ化（pH 7.5以上）の持続は，リン酸カルシウム結石の発生を誘発させるとともに，アルカリで難溶な尿酸アンモニウムなどの析出を促進することがあり，注意深い経過観察が必要である．

おわりに

高尿酸血症・痛風と尿路結石症には密接な関連があり，高尿酸血症に関係する高尿酸尿（症）や酸性尿は，尿路結石形成に対する危険因子である．これらに尿量低下やプリン体過剰摂取が加わるとリスクがさらに高まる．尿酸代謝は，尿酸結石だけではなく，尿路結石のなかで最も頻度の高いシュウ酸カルシウム結石の形成にも影響を与えており，尿路結石全体の成因や再発防止を考えるうえでも非常に重要である．

尿路結石の積極的治療として，種々の結石除去治療が発展した一方で，その発生機序の解明や再発防止法にはそれほど検討が進んでいないのが現状である．わが国で開発された尿酸降下薬（フェブキソスタット，トピロキソスタット）による尿路結石形成の抑制に関する臨床研究が開始されており，すでにいくつかの報告もある．基礎領域では，わが国を中心に尿酸トランスポーターに関する研究が盛んに行われており，これらを通じて高尿酸血症・痛風と尿路結石症との関係がより明らかになることが期待される．

文　献

1) Shekarriz B, Stoller ML : Uric acid nephrolithiasis : current concepts and controversies. *J Urol* **168** : 1307-1314, 2002
2) Coe FL : Hyperuricosuric calcium oxalate nephrolithiasis. *Kidney Int* **13** : 418-426, 1978
3) 日本泌尿器科学会，日本泌尿器内視鏡学会，日本尿路結石症学会編：尿路結石症診療ガイドライン．第2版，金原出版，93-120，2013
4) Pearle MS, Goldfarb DS, Assimos DG, *et al.* : Medical management of kidney stones : AUA guideline. *J Urol* **192** : 316-324, 2014
5) Rodman JS, Sosa RE, Lopes MA : Diagnosis and treatment of uric acid calculi. In : Coe FL, Favus MJ, Pak CYC, et al. (eds). Kidney stones : Medical and surgical management. Lippincott-Raven Publishers, 973-989, 1996
6) EAU Guidelines on Urolithiasis 2018. http://uroweb.org/guideline/urolithiasis/#4
7) 上田 泰，御巫清允，熊谷 朗，他：尿アルカリ化剤CG-120（ウラリットU）の臨床評価：重曹を対照とした多施設非盲検Well-controlled traial. *Clin Evol* **9** : 421-433, 1981
8) Sakhaee K, Nicar M, Hill K, *et al.* : Contrasting effects of potassium citrate and sodium citrate therapies on urinary chemistries and crystallization of stone-forming salts. *Kidney Int* **24** : 348-352, 1983
9) 小川由英，宇治康明：CG-120投与の健常人に及ぼす影響―単回投与試験．薬理と治療 **14** : 5251-5272, 1986
10) Pak CY, Fuller C, Sakhaee K, *et al.* : Long-term treatment of calcium nephrolithiasis with potassium citrate. *J Urol* **134** : 11-19, 1985
11) 西野武士：日本発の「抗痛風剤のルネッサンス」．痛風と核酸代謝 **37** : 77-92, 2013
12) Klinenberg JR, Goldfinger SE, Seegmiller JE : The effectiveness of the xanthine oxidase inhibitor allopurinol in the treatment of gout. *Ann Int Med* **62** : 639-647, 1965
13) 山口 聡：高尿酸血症にかかわる尿路結石症の基礎と臨床．尿酸と血糖 **1** : 64-67, 2015
14) Yamamoto T, Hidaka Y, Inaba M, *et al.* : Effects of febuxostat on serum urate level in Japanese hyperuricemia patients. *Mod Rheumatol* **25** : 779-783, 2015
15) 園田孝夫，小出卓生，岡 聖次，他：再発性特発性蓚酸カルシウム尿路結石症に対するアロプリノール（ザイロリック®）の結石再発予防効果の検討．泌尿紀要 **31** : 2071-2079, 1985
16) Ettinger B, Tang A, Citron JT, *et al.* : Randomized trial of allopurinol in the prevention of calcium oxalate calculi. *N Engl J Med* **315** : 1386-1389, 1986
17) Goldfarb DS, MacDonald PA, Gunawardhana L, *et al.* : Randomized controlled trial of febuxostat versus allopurinol or placebo in individuals with higher urinary uric acid excretion and calcium stones. *Clin J Am Soc Nephrol* **8** : 1960-1967, 2013
★18) Okui D, Sasaki T, Fushimi M, *et al.* : The effect for hyperuricemia inpatient of uric acid overproduction type or in combination with topiroxostat on the pharmacokinetics, pharmacodynamics and safety of dotinurad, a selective urate reabsorption inhibitor. *Clin Exp Nephrol* **24** : S92-102, 2020
19) 山口 聡：Dual energy CTによる結石成分の質的診断．腎臓内科・泌尿器科 **4** : 266-273, 2016
20) Ezzat MI : Treatment of radiolucent renal calculi using ESWL combined with urine alkalinization. *Int Urol Nephrol* **22** : 319-323, 1990

7 高血圧

要点

- 高尿酸血症は高血圧に合併することが多い.
- 高尿酸血症は腎機能低下や心血管イベント発症と関連することが示唆されていることから，尿酸管理に配慮した高血圧診療が必要である.
- 生活習慣の修正，特に肥満の是正と飲酒制限が重要である.
- 降圧薬の選択に際しては，尿酸値を上昇させない薬物を優先的に使用する.
- 血清尿酸値が 8.0 mg/dL 以上であれば，尿酸降下薬の使用を考慮する.

高血圧は診察室血圧 140/90 mmHg 以上または家庭血圧 135/85 mmHg 以上と定義される．わが国の高血圧の患者数は約 4,300 万人と推定されており，生活習慣病のなかでも多く，高尿酸血症の合併頻度も高い．高尿酸血症が高血圧の発症や心血管病（CVD）の危険因子となる可能性が報告されており，尿酸管理に配慮した高血圧治療が求められる．

1 高尿酸血症合併高血圧の病態と治療

1） 高尿酸血症合併高血圧の病態

高尿酸血症が高血圧に高頻度に合併することはよく知られており，健診における未治療高血圧男性での合併頻度は 16.8% と報告されている[1]．一方，高血圧専門外来に通院する高血圧患者における高尿酸血症（尿酸値>7.0 mg/dL または尿酸降下薬服用者）の頻度は男性で 40.6%，女性で 8.6% であった[2]．高血圧に高尿酸血症が合併しやすい病態の1つにメタボリックシンドロームがあげられる．肥満やインスリン抵抗性の存在は，尿酸の産生亢進に加え，尿細管でのナトリウム再吸収亢進に連動した尿酸排泄低下により高尿酸血症を呈する．またナトリウムの再吸収亢進は，体液量の増加と交感神経の亢進をもたらし，血圧上昇をもたらす．高血圧に伴う腎機能低下や降圧利尿薬など血清尿酸値を上昇させる降圧薬の使用も高血圧に高尿酸血症が合併しやすい要因となる．

2） 高尿酸血症合併高血圧の治療

①非薬物療法（表 1）[3]

日本高血圧学会による「高血圧治療ガイドライン 2019」（JSH2019）では，高血圧に対する生活習慣の修正について，減塩（6 g/ 日未満），野菜・果物の積極的摂取，適正体重の維持，習慣的運動，飲酒制限，禁煙の 6 項目をあげており，これらの項目は高尿酸血症の有無にかかわらず，指導すべきである．なかでも肥満の是正と飲酒制限は高尿酸血症に対する生活指導としても重要であり，重点的に指導すべき項目といえる．

②薬物療法

現在，わが国ではカルシウム拮抗薬とアンジオテンシン II 受容体拮抗薬（ARB）が多く使用されている．「高血圧治療ガイドライン 2019」では，積極的適応のない病態では，カルシウム拮抗薬，ARB，アンジオテンシン変換酵素（ACE）阻害薬に加えて利尿薬の使用も推奨しているが，利尿薬は尿酸代謝に悪影響を及ぼす可能性があり，高尿酸血症合併高血圧に対する第一選択薬としての使用は推奨されない．表 2 に主要降圧薬の尿酸に及ぼす影響を示す．利尿薬はサイアザイド系，ループ利尿薬いずれも血清尿酸値を上昇させ，β 遮断薬も上昇させる傾向がある．利尿薬のなかでもミネラルコルチコイド受容体拮抗薬（MRA）は血清尿酸値に影響を及ぼさないことが報告されている．カルシウム拮抗薬，ARB，ACE 阻害薬はあまり尿酸代謝に影響を与えない．ただ ARB のロサルタンは尿酸トランスポーター 1（URAT1）の阻害作用を有しており，臨床的に

表1 生活習慣の修正項目

1. 食塩制限 6g/日未満
2. 野菜・果物の積極的摂取*
   飽和脂肪酸，コレステロールの摂取を控える
   多価不飽和脂肪酸，低脂肪乳製品の積極的摂取
3. 適正体重の維持：BMI（体重［kg］÷身長［m］^{2}）25未満
4. 運動療法：軽強度の有酸素運動（動的および静的筋肉負荷運動）を毎日30分，または180分/週以上行う
5. 節酒：エタノールとして男性20～30mL/日以下，女性10～20mL/日以下に制限する
6. 禁煙

生活習慣の複合的な修正はより効果的である
*カリウム制限が必要な腎障害患者では，野菜・果物の積極的摂取は推奨しない
肥満や糖尿病患者などエネルギー制限が必要な患者における果物の摂取は80 kcal/日程度にとどめる
〔日本高血圧学会高血圧治療ガイドライン作成委員会：高血圧治療ガイドライン2019（JSH2019）．ライフサイエンス出版，2019：64より引用〕

も血清尿酸値を低下させることが報告されていることから，高尿酸血症合併高血圧に対する第一選択薬として適している[4,5]．高尿酸血症を合併しやすい糖尿病，肥満，慢性腎臓病（CKD）などを有する高血圧は，治療抵抗性を呈しやすく，厳格な降圧目標を達成するために利尿薬を含む多剤併用が必要となる場合が多い．高齢者やメタボリックシンドローム，CKD合併高血圧は食塩感受性が高い病態であり，利尿薬が有効であるが，利尿薬の使用により血清尿酸値がさらに上昇することが懸念され，尿酸管理に配慮した使用が望まれる．具体的には，利尿薬の利用が求められる病態であっても，その利尿薬の用量を最小限にとどめること，高カリウム血症のリスクを考慮したうえでMRAの使用を検討することなどがあげられる．利尿薬の有無に限らず，降圧治療中の高血圧患者に対する尿酸降下薬の開始基準についてのエビデンスはないが，少なくとも血清尿酸値が8.0 mg/dL以上であれば尿酸降下薬の投与を考慮する．高血圧に合併した高尿酸血症は尿酸排泄低下型が多く，非選択的尿酸再吸収阻害薬のベンズブロマロンや選択的尿酸再吸収阻害薬（SURI）のドチヌラドなど尿酸排泄促進薬が有効であるが，尿酸生成抑制薬（キサンチン酸化還元酵素〈XOR〉阻害薬）のフェブキソスタットやトピロキソスタットは病型を問わず，また腎障害患者においても有効であることが報告されている[6-8]．

表2 主要降圧薬が血清尿酸値に及ぼす影響

血清尿酸値	降圧薬
上昇	サイアザイド系利尿薬 ループ利尿薬 β（αβ）遮断薬
不変	MRA
不変～軽度低下	カルシウム拮抗薬 ARB（ロサルタン以外） ACE阻害薬
低下	ロサルタン

なお，血圧区分，治療方針の決定，降圧薬の選択，降圧目標などについては，2019年に改訂された「高血圧治療ガイドライン2019」を参照されたい．

おわりに

高血圧患者において高尿酸血症は腎機能の低下や心血管イベントの発症，死亡の危険因子となることが示唆されており，適切な尿酸の管理が推奨される．しかし，尿酸に対する介入試験のエビデンスが乏しく，治療開始基準や治療目標値については今後の検討課題である．

文献

1) Kuwabara M, Niwa K, Nishi Y, *et al.* : Relationship between serum uric acid level and hypertension among Japanese individuals not treated for hyperuricemia and hypertension. *Hypertens Res* **37** : 785-789, 2014
2) 榊美奈子，土橋卓也：降圧薬服用者における尿酸管理の現状．痛風と核酸代謝 **37** : 103-109, 2013
★3) 日本高血圧学会高血圧治療ガイドライン作成委員会：高血圧治療ガイドライン2019（JSH2019）．ライフサイエンス出版，2019
4) Naritomi H, Fujita T, Ito S, *et al.* : Efficacy and safety of long-term losartan therapy demonstrated by a prospective observational study in Japanese patients with hypertension. The Japan Hypertension Evaluation with Angiotensin II Antagonist Losartan Therapy (J-HEALTH) study. *Hypertens Res* **31** : 295-304, 2008
5) Ito S, Naritomi H, Ogihara T, *et al.* : Impact of serum uric acid on renal function and cardiovascular events in hypertensive patients treated with losartan. *Hypertens Res* **35** : 867-873, 2012
6) Yamamoto T, Hidaka Y, Inaba M, *et al.* : Effects of febuxostat on serum urate level in Japanese hyperuricemia patients. *Mod Rheumatol* **12** : 1-5, 2015
7) Shibagaki Y, Ohno I, Hosoya T, *et al.* : Safety, efficacy and renal effect of febuxostat in patients with moderate-to-severe kidney dysfunction. *Hypertens Res* **37** : 919-925, 2014
8) Hosoya T, Ohno I, Nomura S, *et al.* : Effects of topiroxostat on the serum urate levels and urinary albumin excretion in hyperuricemic stage 3 chronic kidney disease patients with or without gout. *Clin Exp Nephrol* **18** : 876-884, 2014

8 動脈硬化

要点

- 血清尿酸値が高い症例では動脈硬化性疾患のイベント発症の頻度が高い．
- 尿酸高値が動脈硬化性疾患の発症と独立した関連があるのか，血清尿酸高値と併存している心血管病の危険因子の存在が，動脈硬化性疾患の発症リスクを上昇しているのかについて，さまざまな検討が行われてきた．
- 高尿酸血症が動脈硬化の独立した関連かどうかを検討した，一般住民集団を対象にした疫学研究は，結果にばらつきが大きい．一方，心血管病のハイリスク症例を対象にした疫学検討では，尿酸高値が独立した心血管イベントのリスク因子であったとする報告が多い．
- 血清尿酸高値が心血管イベントの原因であるかどうかを検討した，メンデルランダム化解析では，研究間で結果にばらつきがある．
- 尿酸降下薬投与が，心血管イベント発症を減少したことを示した介入研究は存在するが，対象症例数は少なく，今後さらに検討されるべき課題である．

血清尿酸値が高いほど，動脈硬化性疾患の発症のリスクが高いということがさまざまな疫学的検討で示されている．血清尿酸値が高い症例ほど，ほかの心血管危険因子を多く保有している．そのため，尿酸そのものが動脈硬化リスクを上昇するのか，ほかの因子を介した関係であるのかを明らかにするため，多くの疫学的検討やメンデルランダム化解析などが行われてきた．直接的な関連が存在するかどうかは，尿酸降下の介入の動脈硬化に与える影響を推定するうえで重要である．また，近年，尿酸降下療法が心血管イベントを抑制するかどうかについて，いくつかの介入試験からの知見も得られ始めている．

1 心血管イベントとの関連─疫学的検討

血清尿酸高値が，心血管イベント発症の独立したリスク因子であるかどうかについて，さまざまな心血管危険因子で調整した統計的モデルを用いて，国内外のコホートで検討されている．

一般住民集団を対象とした検討では，さまざまな心血管危険因子で調整したモデルにおいて，尿酸高値が心血管病（CVD）の発症や心血管死亡と関連があることが示されている[1-13]．一方，対象症例によっては，そのような関連が認められなかったり，尿酸高値と心血管イベントの関連が，男性より女性でより顕著であるなど，性差を示唆する結果が得られることもあり，血清尿酸高値と心血管疾患との関連は，直接的なものではない可能性も指摘されている[14-20]．

高血圧[21-23]や冠動脈疾患[24-27]，糖尿病[28]などの基礎疾患を有する，いわゆるハイリスクな集団を対象にした同様の検討も数多く行われている．そのような検討では，一般住民集団を対象にした場合に比べて，血清尿酸高値と心血管イベント，心血管死亡との間に直接的な関連を認めた，という報告が多い．しかし，ハイリスク症例を対象にした検討でも，血清尿酸値と心血管イベントの間に独立した関連を認めなかったとするものや，尿酸値と心血管リスクの間にJカーブの関連を認めた，とする報告もあり，どのような調整因子で補正された結果であるかについても留意しながら結果を解釈する必要がある[29-31]．

2 動脈硬化のサロゲートマーカーとの関連

心血管イベントなどのハードエンドポイントではなく，サロゲートマーカーとの関連を検討した研究もある．血清尿酸値が，頸動脈プラーク[32-34]や血管スティフネスなど[35-38]との関連を認めたという報告もある．しかし，観察研究であることを含め，臨床的な意義については大きな限界がある．

3 メンデルランダム化解析

血清尿酸値に影響をあたえる遺伝子配列である操作変数（instrumental variable）を解析し，血清尿酸値高値となる遺伝的素因と，心血管イベントの関連について判断する手法であり，ほかの既知，未知の交絡因子を考慮せずとも，血清尿酸値高値が心血管イベントの発症の原因となるかについて解析することができる利点がある．尿酸値と虚血性心疾患や冠動脈疾患の間に因果関係を示すエビデンスは得られなかった[39,40]という報告がある一方，高尿酸血症と心血管死，糖尿病に伴う動脈硬化性疾患との間に関係が認められた[41,42]という報告もある．

尿酸降下薬は心血管イベントを抑制するか

Grimaldi-Bensoudaらは，心筋梗塞症例とコントロールを比較したケースコントロール研究で，心筋梗塞症例において，アロプリノール使用が低率であったことを報告している[43]．また，Goicoecheaらは，腎機能低下のある症例に対して，アロプリノール100 mg/日を投与したランダム化試験を行い，アロプリノール投与群で，心血管イベント発症率が低かったことを報告している[44,45]．これらの検討では，アロプリノールが動脈硬化進展の抑制により心血管イベントを低減したかどうかについて明らかではない．現在，虚血性心疾患の既往のある症例に対して，アロプリノール投与が心血管イベント発症を低減するかどうかを検討する，プラセボ対照のランダム化試験も行われている[46]．

プリン型キサンチン酸化還元酵素（XOR）阻害薬のアロプリノールと非プリン型XOR阻害薬のフェブキソスタットの心血管イベント発症率の比較については，いくつか注目される報告がなされている．米国から報告されたCVDを有する痛風患者を対象とした二重盲検非劣性試験（CARES研究）では，主要評価項目（心血管死亡，非致死性心筋梗塞，非致死性脳卒中，不安定狭心症に対する緊急血行再建術の複合エンドポイント）についてはアロプリノール群に対しフェブキソスタット群で非劣性であったが，心血管死亡の割合はフェブキソスタット群4.3%，アロプリノール群3.2%とフェブキソスタット群で高かった[47]．心血管死亡のなかでは両群ともに心突然死が最も多かった．この試験ではフェブキソスタットは40mg/日から開始している．米国食品医薬品局（Food and Drug Administration：FDA）による心血管死亡に係る注意喚起を踏まえ，わが国においてもフェブキソスタットおよびトピロキソスタットについてCVDの発現について注意喚起をする等の添付文書の改訂が行われた．なお，その後の欧州で実施された製造販売後臨床試験（FAST試験）において，複合心血管エンドポイントについて，アロプリノール群に対しフェブキソスタット群で非劣性であったこと[48]，わが国における高尿酸血症治療薬処方患者を対象とした検討で，フェブキソスタットおよびトピロキソスタット処方後の心血管系イベント発現は，アロプリノール処方後の心血管系イベント発現と比較して増加する傾向は認められなかったことなどを受け，わが国ではその後の追加の安全対策措置は行われていない．

尿酸排泄促進薬と尿酸生成抑制薬の心血管リスクについて比較した報告も少数だが存在する．アロプリノールまたはプロベネシドが開始された65歳以上の痛風患者をプロペンシティスコアマッチで比較した検討では，プロベネシド群で全死亡と心血管イベントが少なかった[49]．この試験では新規心不全入院は両群で差がなかったが，ベースラインで心不全を有する患者では，心不全増悪による入院がプロベネシド群で少なかった．また，韓国から報告されたアロプリノールまたはプロベネシドが開始された痛風患者をプロペンシティスコアマッチで比較したスタディでは，プロベネシド群で複合心血管イベントおよび全死亡が少ないという結果であった[50]．尿酸排泄促進薬が尿酸生成抑制薬より心血管イベント抑制効果があるかどうかについては，メカニズムの解析も含めたさらなる検討が必要である．

おわりに

血清尿酸値に介入することで心血管予後が改善することを示した報告は少なく，動脈硬化性疾患の予後改善のために尿酸降下のインターベンションは，現時点では積極的に推奨されるとはいえない．また，介入試験の結果の判断には，効果の有無に加え，臨床的なインパクトも考慮される必要があるだろう．

文　献

1) Freedman DS, Williamson DF, Gunter EW, *et al.* : Relation of serum uric acid to mortality and ischemic heart disease. The NHANES I Epidemiologic Follow-up Study. *Am J Epidemiol* **141** : 637-644, 1995
2) Fang J, Alderman MH : Serum uric acid and cardiovascular mortality the NHANES I epidemiologic follow-up study, 1971-1992. National Health and Nutrition Examination Survey. *JAMA* **283** : 2404-2410, 2000
3) Tomita M, Mizuno S, Yamanaka H, *et al.* : Does hyperuricemia affect mortality? A prospective cohort study of Japanese male workers. *J Epidemiol* **10** : 403-409, 2000
4) Niskanen LK, Laaksonen DE, Nyyssönen K, *et al.* : Uric acid level as a risk factor for cardiovascular and all-cause mortality in middle-aged men : a prospective cohort study. *Arch Intern Med* **164** : 1546-1551, 2004
5) Hakoda M, Masunari N, Yamada M, *et al.* : Serum uric acid concentration as a risk factor for cardiovascular mortality : a longterm cohort study of atomic bomb survivors. *J Rheumatol* **32** : 906-912, 2005
6) Chien KL, Hsu HC, Sung FC, *et al.* : Hyperuricemia as a risk factor on cardiovascular events in Taiwan : The Chin-Shan Community Cardiovascular Cohort Study. *Atherosclerosis* **183** : 147-155, 2005
7) Bos MJ, Koudstaal PJ, Hofman A, *et al.* : Uric acid is a risk factor for myocardial infarction and stroke : the Rotterdam study. *Stroke* **37** : 1503-1507, 2006
8) Chen SY, Chen CL, Shen ML : Severity of gouty arthritis is associated with Q-wave myocardial infarction : a large-scale, cross-sectional study. *Clin Rheumatol* **26** : 308-313, 2007
9) Krishnan E, Svendsen K, Neaton JD, *et al.* : Long-term cardiovascular mortality among middle-aged men with gout. *Arch Intern Med* **168** : 1104-1110, 2008
10) Ioachimescu AG, Brennan DM, Hoar BM, *et al.* : Serum uric acid is an independent predictor of all-cause mortality in patients at high risk of cardiovascular disease : a preventive cardiology information system (PreCIS) database cohort study. *Arthritis Rheum* **58** : 623-630, 2008
11) Strasak AM, Kelleher CC, Brant LJ, *et al.* : Serum uric acid is an independent predictor for all major forms of cardiovascular death in 28,613 elderly women : a prospective 21-year follow-up study. *Int J Cardiol* **125** : 232-239, 2008
12) Meisinger C, Koenig W, Baumert J, *et al.* : Uric acid levels are associated with all-cause and cardiovascular disease mortality independent of systemic inflammation in men from the general population : the MONICA/KORA cohort study. *Arterioscler Thromb Vasc Biol* **28** : 1186-1192, 2008
13) Strasak A, Ruttmann E, Brant L, *et al.* : Serum uric acid and risk of cardiovascular mortality : a prospective long-term study of 83,683 Austrian men. *Clin Chem* **54** : 273-284, 2008
14) Wannamethee SG, Shaper AG, Whincup PH : Serum urate and the risk of major coronary heart disease events. *Heart* **78** : 147-153, 1997
15) Culleton BF, Larson MG, Kannel WB, *et al.* : Serum uric acid and risk for cardiovascular disease and death : the Framingham Heart Study. *Ann Intern Med* **131** : 7-13, 1999
16) Moriarity JT, Folsom AR, Iribarren C, *et al.* : Serum uric acid and risk of coronary heart disease : Atherosclerosis Risk in Communities (ARIC) Study. *Ann Epidemiol* **10** : 136-143, 2000
17) Sakata K, Hashimoto T, Ueshima H, *et al.* : Absence of an association between serum uric acid and mortality from cardiovascular disease : NIPPON DATA 80, 1980-1994. National Integrated Projects for Prospective Observation of Non-communicable Diseases and its Trend in the Aged. *Eur J Epidemiol* **17** : 461-468, 2001
18) Jee SH, Lee SY, Kim MT : Serum uric acid and risk of death from cancer, cardiovascular disease or all causes in men. *Eur J Cardiovasc Prev Rehabil* **11** : 185-191, 2004
19) Wheeler JG, Juzwishin KD, Eiriksdottir G, *et al.* : Serum uric acid and coronary heart disease in 9,458 incident cases and 155,084 controls : prospective study and meta-analysis. *PLoS Med* **2** : e76, 2005
20) Gerber Y, Tanne D, Medalie JH, *et al.* : Serum uric acid and long-term mortality from stroke, coronary heart disease and all causes. *Eur J Cardiovasc Prev Rehabil* **13** : 193-198, 2006
21) Verdecchia P, Schillaci G, Reboldi G, *et al.* : Relation between serum uric acid and risk of cardiovascular disease in essential hypertension. The PIUMA study. *Hypertension* **36** : 1072-1078, 2000
22) Franse LV, Pahor M, Di Bari M, *et al.* : Serum uric acid, diuretic treatment and risk of cardiovascular events in the Systolic Hypertension in the Elderly Program (SHEP). *J Hypertens* **18** : 1149-1154, 2000
23) Iwashima Y, Horio T, Kamide K, *et al.* : Uric acid, left ventricular mass index, and risk of cardiovascular disease in essential hypertension. *Hypertension* **47** : 195-202, 2006
24) Bickel C, Rupprecht HJ, Blankenberg S, *et al.* : Serum uric acid as an independent predictor of mortality in patients with angiographically proven coronary artery disease. *Am J Cardiol* **89** : 12-17, 2002
25) Madsen TE, Muhlestein JB, Carlquist JF, *et al.* : Serum uric acid independently predicts mortality in patients with significant, angiographically defined coronary disease. *Am J Nephrol* **25** : 45-49, 2005
26) Kojima S, Sakamoto T, Ishihara M, *et al.* : Prognostic usefulness of serum uric acid after acute myocardial infarction (the Japanese Acute Coronary Syndrome Study). *Am J Cardiol* **96** : 489-495, 2005
27) Wang R, Song Y, Yan Y, *et al.* : Elevated serum uric acid and risk of cardiovascular or all-cause mortality in people with suspected or definite coronary artery disease : A meta-analysis. *Atherosclerosis* **254** : 193-199, 2016
28) Lehto S, Niskanen L, Rönnemaa T, *et al.* : Serum uric acid is a strong predictor of stroke in patients with non-insulin-dependent diabetes mellitus. *Stroke* **29** : 635-639, 1998
29) Suliman ME, Johnson RJ, Garcia-Löpez E, *et al.* : J-shaped mortality relationship for uric acid in CKD. *Am J Kidney Dis* **48** : 761-771, 2006
30) Mazza A, Zamboni S, Rizzato E, *et al.* : Serum uric acid shows a J-shaped trend with coronary mortality in non-insulin-dependent diabetic elderly people. The CArdiovascular STudy in the ELderly (CASTEL). *Acta Diabetol* **44** : 99-105, 2007
31) Zhang W, Iso H, Murakami Y, *et al.* : Serum Uric Acid and Mortality Form Cardiovascular Disease : EPOCH-JAPAN Study. *J Atheroscler Thromb* **23** : 692-703, 2016
32) Ishizaka N, Ishizaka Y, Toda E, *et al.* : Association between serum uric acid, metabolic syndrome, and carotid atherosclerosis in Japanese individuals. *Arterioscler Thromb Vasc Biol* **25** : 1038-1044, 2005
33) Takayama S, Kawamoto R, Kusunoki T, *et al.* : Uric acid is an independent risk factor for carotid atherosclerosis in a Japanese elderly population without metabolic syndrome. *Cardiovasc Diabetol* **11** : 2, 2012
34) Neogi T, Ellison RC, Hunt S, *et al.* : Serum uric acid is associated with carotid plaques : the National Heart, Lung, and Blood Institute Family Heart Study. *J Rheumatol* **36** : 378-384, 2009
35) Ishizaka N, Ishizaka Y, Toda E, *et al.* : Higher serum uric acid is associated with increased arterial stiffness in Japanese individuals. *Atherosclerosis* **192** : 131-137, 2007
36) Canepa M, Viazzi F, Strait JB, *et al.* : Longitudinal Association Between Serum Uric Acid and Arterial Stiffness : Re-

sults From the Baltimore Longitudinal Study of Aging. *Hypertension* **69** : 228-235, 2017
37) Mehta T, Nuccio E, McFann K, *et al.* : Association of Uric Acid With Vascular Stiffness in the Framingham Heart Study. *Am J Hypertens* **28** : 877-883, 2015
38) Baena CP, Lotufo PA, Mill JG, *et al.* : Serum Uric Acid and Pulse Wave Velocity Among Healthy Adults : Baseline Data From the Brazilian Longitudinal Study of Adult Health (ELSA-Brasil). *Am J Hypertens* **28** : 966-970, 2015
39) Palmer TM, Nordestgaard BG, Benn M, *et al.* : Association of plasma uric acid with ischaemic heart disease and blood pressure : mendelian randomisation analysis of two large cohorts. *BMJ* **347** : f4262, 2013
40) Keenan T, Zhao W, Rasheed A, *et al.* : Causal Assessment of Serum Urate Levels in Cardiometabolic Diseases Through a Mendelian Randomization Study. *J Am Coll Cardiol* **67** : 407-416, 2016
41) Kleber ME, Delgado G, Grammer TB, *et al.* : Uric Acid and Cardiovascular Events : A Mendelian Randomization Study. *J Am Soc Nephrol* **26** : 2831-2838, 2015
42) Yan D, Wang J, Jiang F, *et al.* : A causal relationship between uric acid and diabetic macrovascular disease in Chinese type 2 diabetes patients : A Mendelian randomization analysis. *Int J Cardiol* **214** : 194-199, 2016
43) Grimaldi-Bensouda L, Alpérovitch A, Aubrun E, *et al.* : Impact of allopurinol on risk of myocardial infarction. *Ann Rheum Dis* **74** : 836-842, 2015
44) Goicoechea M, de Vinuesa SG, Verdalles U, *et al.* : Effect of allopurinol in chronic kidney disease progression and cardiovascular risk. *Clin J Am Soc Nephrol* **5** : 1388-1393, 2010
45) Goicoechea M, Garcia de Vinuesa S, Verdalles U, *et al.* : Allopurinol and progression of CKD and cardiovascular events : long-term follow-up of a randomized clinical trial. *Am J Kidney Dis* **65** : 543-549, 2015
46) Mackenzie IS, Ford I, Walker A, *et al.* : Multicentre, prospective, randomised, open-label, blinded end point trial of the efficacy of allopurinol therapy in improving cardiovascular outcomes in patients with ischaemic heart disease : protocol of the ALL-HEART study. *BMJ Open* **6** : e013774, 2016
★47) White WB, Saag KG, Becker MA, *et al.* : Cardiovascular safety of febuxostat or allopurinol in patients with gout. *N Engl J Med* **378** : 1200-1210, 2018
★48) Mackenzie IS, Ford I, Nuki G, *et al.* : Long-term cardiovascular safety of febuxostat compared with allopurinol in patients with gout (FAST) : a multicentre, prospective, randomised, open-label, non-inferiority trial. *Lancet* **396** : 1745-1757, 2020
★49) Kim SC, Neogi T, Kang EH, *et al.* : Cardiovascular risks of probenecid versus allopurinol in older patients with gout. *J Am Coll Cardiol* **71** : 994-1004, 2018
★50) Kang EA, Park EH, Shin A, *et al.* : Cardiovascular risk associated with allopurinol vs. benzbromarone in patients with gout. *Eur Heart J* **42** : 4578-4588, 2021

9 心不全

要点

- 高尿酸血症を合併した心不全の治療には，血清尿酸値上昇をきたしにくい薬物を使用すべきであるが，血清尿酸値が上昇した場合は心不全治療を優先し，必要に応じた尿酸降下薬の開始または増量を考慮すべきである．
- アンジオテンシン変換酵素阻害薬，アンジオテンシンII受容体拮抗薬，ミネラルコルチコイド受容体拮抗薬は高尿酸血症に対して悪影響を及ぼすことなく使用できる．特にロサルタンは血清尿酸値を低下させる．
- 利尿薬やβ遮断薬は血清尿酸値を上昇させるので，血清尿酸値に注意しながら使用し，血清尿酸値が上昇した場合は心不全治療を優先し，尿酸降下薬の開始または増量を考慮すべきである．
- キサンチン酸化還元酵素阻害薬も尿酸排泄促進薬も，心不全に合併した高尿酸血症の治療において，心不全に悪影響を及ぼすことなく使用できる．選択的尿酸再吸収阻害薬のドチヌラドの心不全に対する影響は不明である．
- キサンチン酸化還元酵素阻害薬は心不全に対して好ましい効果を及ぼす可能性が報告されているが，心血管死亡などのハードエンドポイントに関しては，エビデンスが不十分であり今後の検討が必要である．

血清尿酸値の上昇は心不全患者にしばしば認められる病態であり，高尿酸血症は心不全患者の運動耐容能，末梢循環不全，炎症マーカー，左室拡張機能，予後と関連している[1-5]．したがって，高尿酸血症と心不全という2つの病態とその関連性をしっかり理解し，それぞれの治療を行うことが重要である．高尿酸血症に影響を及ぼす生活習慣（喫煙・飲酒・偏食・激しい運動など）を有する場合，まずこれらの改善指導を行い改善のない場合に薬物治療を考慮する．生活習慣の指導に関しての詳細は，「第2章 12 生活指導［p.56］」を参照いただき，本項では，心不全のなかでも慢性心不全に焦点を絞り，高尿酸血症を合併した場合の慢性心不全の治療薬および慢性心不全を合併した場合の高尿酸血症の治療薬について概説する．

1 高尿酸血症を合併した場合の心不全治療薬

高尿酸血症を合併する心不全の治療薬としては，血清尿酸値を上昇させない薬物を用いることが原則である．しかしながら，治療薬の選択にあたっては，心不全の治療を優先すべきであり，血清尿酸値が上昇した場合は，尿酸降下薬の開始，または増量で血清尿酸値をコントロールする．日本循環器学会・日本心不全学会の急性・慢性心不全診療ガイドライン（2017年改訂版）では，アンジオテンシン変換酵素（ACE）阻害薬，アンジオテンシンII受容体拮抗薬（ARB），β遮断薬，利尿薬，ミネラルコルチコイド受容体拮抗薬（MRA）が心不全治療薬として推奨され，実際の臨床現場で使用されている．以下にそれぞれの心不全治療薬の血清尿酸値への影響について述べる．

1）アンジオテンシン変換酵素阻害薬

ACE阻害薬は血清尿酸値をやや低下させるという報告が多いが[6]，高血圧患者の痛風発症リスクを軽度増加させるという報告もあり[7]，血清尿酸値・痛風発症への影響は必ずしも一定しない．しかしながら，血清尿酸値に対する影響はわずかと考えられ，慢性心不全に対する有用性を考えた場合，高尿酸血症合併の慢性心不全に積極的に用いてよい薬物の1つである．

2）アンジオテンシンII受容体拮抗薬

ARBのなかではロサルタンが腎の尿酸排泄促進作用を介し，血清尿酸値低下作用を有している．ロサルタンは高血圧患者の痛風発症を抑制すると報告されており[7]，大規模な介入試験でも血清尿酸値の低下作用が報告されている[8]．その他のARBは血清尿酸値に有意な影響を及ぼさないと思われるが，エビデンスが不十分で今後の検討を有する．以上より，ARBはACE阻害薬と同様に高尿酸血症合併の慢性心不全に用いてよい薬物である*．

3） β遮断薬

高血圧患者に対して，β遮断薬は血清尿酸値を軽度上昇させる報告が多く，この作用はβ1とβ2受容体の選択性，膜安定化作用の有無，内因性交感神経刺激作用の有無とは無関係である[6,7]．高血圧の治療とは異なり心不全の治療においてβ遮断薬は，少量から開始して漸増するが，血清尿酸値に及ぼす影響は高血圧患者と同様と考えられ，血清尿酸値の上昇に注意する．β遮断薬はACE阻害薬やARBと同様に慢性心不全，特に左室駆出率が低下した心不全（HFrEF）の治療薬として生命予後を改善することが証明されているため，血清尿酸値が上昇する場合はβ遮断薬を減量や中止するのではなく，尿酸降下薬を併用しながらβ遮断薬を継続すべきである．

4） 利尿薬

サイアザイド系利尿薬，ループ利尿薬のいずれも腎での尿酸排泄を抑制し血清尿酸値を上昇させる[6,9]．高血圧患者においても利尿薬は有意に痛風の発症を増加させる[7]．心不全患者に使用する場合にも，血清尿酸値に注意し，うっ血症状を起こさない必要最低限の用量に抑えるべきである．血清尿酸値が上昇した場合は，適宜尿酸降下薬を開始，または増量で対応する．

5） ミネラルコルチコイド受容体拮抗薬

MRAは利尿作用を有し，利尿薬に分類されることもあるが，血清尿酸値には影響を及ぼさないといわれている．MRAを用いた心不全治療の大規模臨床試験でも血清尿酸値に有意な影響を及ぼしていない[10,11]ことから，MRAは高尿酸血症合併の心不全に対して問題なく使用できると思われる．

以上より，心不全治療薬に関しては，ACE阻害薬，ARB，MRAは血清尿酸値の上昇に関しては懸念なく使用できる．β遮断薬と利尿薬は血清尿酸値を上昇させるので，必要に応じて尿酸降下薬を併用する．特に，利尿薬を使用する際には血清尿酸値が上昇しやすいので注意を有する．

2 心不全を合併した場合の高尿酸血症治療薬

高尿酸血症治療薬には尿酸生成抑制薬（キサンチン酸化還元酵素〈XOR〉阻害薬）と尿酸排泄促進薬がある．高尿酸血症治療の主な目的は，痛風関節炎と尿路結石の予防であるが，心不全に対する高尿酸血症治療薬の有用性も最近報告されている．以下にそれぞれの治療薬の心不全への影響について述べる．

1） 尿酸生成抑制薬

尿酸生成抑制薬はXOR活性を阻害することによって，尿酸生成を抑制し血清尿酸値を低下させるが，同時に尿酸生成過程で発生する活性酸素を減少させることにより酸化ストレスも軽減することが期待される．心不全に対するアロプリノールの投与による血管内皮機能改善（血流改善），左室駆出率の改善等の報告がある[12]．しかしながら，アロプリノールなどのXOR阻害薬を用いた前向き介入試験では，心不全患者の総死亡や心血管死亡は抑制していない[13,14]．また，フェブキソスタットなどの新規XOR阻害薬の心不全に対する作用がアロプリノールと差があるかについても不明である．CARES研究[15]において，アロプリノール群に比しフェブキソスタット群で全死亡率と心血管病（CVD）死亡率が高かった．機序は不明であるが，試験薬投与中止率が高くさらに中止後の死亡率も両群とも高く，他のRCTで検証する必要がある[16]．また，アジア人では*HLA-B*5801*の頻度が高いためにアロプリノールの副作用が出現しやすい[17]ことに注意する必要もある．したがって現時点では心不全の病態改善目的にXOR阻害薬を用いるのではなく，あくまで高尿酸血症・痛風の治療を目的に使用すべきであり，『ガイドライン（第3版）』に従い治療する．

*：わが国では慢性心不全に適応のあるARBはカンデサルタンのみであり，ほかのARBを使用する場合は高血圧症などを合併した慢性心不全が対象となる．

2) 尿酸排泄促進薬

尿酸排泄促進薬は尿細管の尿酸トランスポーターに作用して尿酸の排泄を促進し血清尿酸値を低下させるが，心不全の病態には影響を及ぼさないか[18]，あるいは，少なくとも悪影響を及ぼさないと考えられる．ドチヌラドは腎における尿酸トランスポーターのURAT1を選択的に阻害することにより，尿酸の尿中排泄を促進し血清尿酸値を低下させる．現時点ではドチヌラドの心不全に対する影響は不明であるが，腎に特異的に発現するURAT1を選択的に阻害するので腎外組織へは影響を及ぼさないと推測される．

したがって，尿酸排泄促進薬は心不全を合併した高尿酸血症に対して安全に使用できると考えられるが，XOR阻害薬と同様に高尿酸血症・痛風の治療を目的に使用すべきであり，『ガイドライン（第3版）』に従い治療する．

以上より，高尿酸血症治療薬に関しては，心不全に対してどちらの薬物も使用できると考えられるが，今までの報告をみるとXOR阻害薬を用いた報告が多く，禁忌でなければXOR阻害薬を先に選択することは妥当と考えられる．

おわりに

高尿酸血症を合併した場合の慢性心不全の治療薬および慢性心不全を合併した場合の高尿酸血症の治療薬について概説した．高尿酸血症と慢性心不全には関連性を認め，XOR阻害薬が慢性心不全に好ましいという報告もある．しかしながら，高尿酸血症の治療が心不全の予後を本当に改善するかどうかは現時点で不明であり，今後の検討が必要である．したがって，高尿酸血症を合併した場合の慢性心不全の治療は，血清尿酸値を上昇させない薬物を用いるべきであるが，治療の原則は心不全治療を優先し，必要に応じて尿酸降下薬を併用すべきである．一方，現時点では慢性心不全を合併した場合の高尿酸血症治療薬は，心不全の予後改善を目的とするのではなく，血清尿酸値の低下・痛風発作の予防を目的として使用すべきであると考える．

文　献

1) Leyva F, Chua TP, Anker SD, *et al.* : Uric acid in chronic heart failure : a measure of the anaerobic threshold. *Metabolism* **47** : 1156-1159, 1998
2) Cicoira M, Zanolla L, Rossi A, *et al.* : Elevated serum uric acid levels are associated with diastolic dysfunction in patients with dilated cardiomyopathy. *Am Heart J* **143** : 1107-1111, 2002
3) Anker SD, Doehner W, Rauchhaus M, *et al.* : Uric acid and survival in chronic heart failure : validation and application in metabolic, functional, and hemodynamic staging. *Circulation* **107** : 1991-1997, 2003
4) Leyva F, Anker SD, Godsland IF, *et al.* : Uric acid in chronic heart failure : a marker of chronic inflammation. *Eur Heart J* **19** : 1814-1822, 1998
5) Hamaguchi S, Furumoto T, Tsuchihashi-Makaya M, *et al.* : Hyperuricemia predicts adverse outcomes in patients with heart failure. *Int J Cardiol* **151** : 143-147, 2011
6) Reyes AJ : Cardiovascular drugs and serum uric acid. *Cardiovasc Drugs Ther* **17** : 397-414, 2003
7) Choi HK, Soriano LC, Zhang Y, *et al.* : Antihypertensive drugs and risk of incident gout among patients with hypertension : population based case-control study. *BMJ* **344** : d8190, 2012
8) Hoieggen A, Alderman MH, Kjeldsen SE, *et al.* : The impact of serum uric acid on cardiovascular outcomes in the LIFE study. *Kidney Int* **65** : 1041-1049, 2004
9) So A, Thorens B : Uric acid transport and disease. *J Clin Invest* **120** : 1791-1799, 2010
10) Pitt B, Zannad F, Remme WJ, *et al.* : The effect of spironolactone on morbidity and mortality in patients with severe heart failure. Randomized Aldactone Evaluation Study Investigators. *N Engl J Med* **341** : 709-717, 1999
11) Pitt B, Remme W, Zannad F, *et al.* : Eplerenone, a selective aldosterone blocker, in patients with left ventricular dysfunction after myocardial infarction. *N Engl J Med* **348** : 1309-1321, 2003
12) Xiao J, Deng SB, She Q, *et al.* : Allopurinol ameliorates cardiac function in non-hyperuricaemic patients with chronic heart failure. *Eur Rev Med Pharmacol Sci* **20** : 756-761, 2016
13) Hare JM, Mangal B, Brown J, *et al.* : Impact of oxypurinol in patients with symptomatic heart failure. Results of the OPT-CHF study. *J Am Coll Cardiol* **51** : 2301-2309, 2008
14) Givertz MM, Anstrom KJ, Redfield MM, *et al.* : Effects of Xanthine Oxidase Inhibition in Hyperuricemic Heart Failure Patients : The Xanthine Oxidase Inhibition for Hyperuricemic Heart Failure Patients (EXACT-HF) Study. *Circulation* **131** : 1763-1771, 2015
★15) White WB, Saag KG, Becker MA, *et al.* : for the CARES investigators : Cardiovascular safety of febuxostat or allopurinol in patients with gout. *N Engl J Med* **378** : 1200-1210, 2018
★16) Johnson TA, Kuwabara M, Kamatani N : Xanthine oxidase inhibitor withdrawal syndrome? *Arthritis Rheumatol* **71** : 1966-1967, 2019
★17) Kaniwa N, Saito Y, Aihara M, *et al.* : HLA-B locus in Japanese patients with anti-epileptics and allopurinol-related Stevens-Johnson syndrome and toxic epidermal necrolysis. *Pharmacogenomics* **9** : 1617-1622, 2008
18) Ogino K, Kato M, Furuse Y, *et al.* : Uric acid-lowering treatment with benzbromarone in patients with heart failure : a double-blind placebo-controlled crossover preliminary study. *Circ Heart Fail* **3** : 73-81, 2010

第2章 治療

10 メタボリックシンドローム

要点

- メタボリックシンドロームに対する治療の最終目的は，本症候群の臨床的帰結である動脈硬化性疾患の発症予防と進展阻止にある．
- 内臓脂肪量を減少させることで，効率的にメタボリックシンドロームの病態改善が図れる．
- 食事療法や運動療法，禁煙といった生活習慣の改善が，メタボリックシンドロームに対する治療の基本である．
- 減量により血清尿酸値は低下し，痛風発作の頻度は減少する．ただし，急激な減量は血清尿酸値を上げ，発作を誘発する危険がある．
- 生活習慣の改善だけで効果不十分な場合は，個々の構成疾患に対する薬物療法を行い，非内科的治療も考慮する．

高尿酸血症・痛風患者は，メタボリックシンドロームを合併することが多い．合併例においては，メタボリックシンドロームに対する包括的なリスク管理を行うことが大切である．

1 治療目的と基本戦略

メタボリックシンドロームは，心血管病（CVD）の各種リスクが個々人に集積する結果，動脈硬化性疾患をより発症しやすい病態である．偶然にリスクが集積したのではなく，原因となる共通の病態基盤を想定した疾病概念であり，動脈硬化性疾患の発症予防を目的とした疾患単位である．内臓脂肪の蓄積が本症候群の病態形成において中心的な役割を果たすと考えられている[1]．したがって，内臓脂肪量を減少させることで，効率的にメタボリックシンドロームの病態改善が図れる．単に顕在化した各リスクを個別に治療していく戦略とは一線を画すものである．内臓脂肪が蓄積する原因は，現代社会における不適切な食生活や運動不足などの生活習慣上の問題に負うところが大きいと考えられるため，生活習慣の改善がメタボリックシンドローム治療の基本となる[2,3]．

メタボリックシンドロームにおける高尿酸血症の病態意義については，なお議論がある．しかし，高尿酸血症とメタボリックシンドロームが高率に合併する病態であることを示したエビデンスは豊富にある．高尿酸血症・痛風患者の実地診療にあたっては，メタボリックシンドローム合併の有無を検査し，血清尿酸値のみならず肥満（特に内臓脂肪肥満），血圧，血清脂質，血糖値などについて包括的なリスク管理を行い，動脈硬化性疾患の発症予防と進展阻止に努めることが重要である．メタボリックシンドロームを是正することにより，同時に血清尿酸値の改善効果も期待できる．

2 減量の効果と目標設定

特定保健指導対象者のうち肥満症やメタボリックシンドロームの診断基準に合致し，積極的健康支援を6か月間行った3,480人について，1年後の体重減少と耐糖能異常，脂質異常，高血圧，肝機能異常との関係が解析されている[4]．この報告によれば，1～3％の体重減少により，中性脂肪，HDL-C，LDL-C，HbA1c，アスパラギン酸アミノ基転移酵素（aspartate amino transferase：AST），アラニンアミノ基転移酵素（alanine amino transferase：ALT），γ-グルタミルトランスペプチダーゼ（γ-glutamyl transpeptidase：γ-GTP）が改善した．3～5％の体重減少では，さらに収縮期血圧，拡張期血圧，空腹時血糖，血清尿酸値の改善も認められている．わが国における大規模研究で得られたこのエビデンスに基づいて，日本肥満学会は，肥満症の減量目標を「現体重の3％以上の体重減少」とするのが妥当としている[5]．メタボリックシンドローム治療においては，蓄積した内臓脂肪の減少を意識することが重要である．上記の報告で，メタボリックシンドローム該当者1,726人についても解析されている．その結果，3 cm以上の腹囲減少によって70%以上の対象者がメタボリックシンドロームから非メタボリックシンドロームへと改善し，これは体重が3 kg以上減少した場合とほぼ同様の改善効果であった[4]．

高尿酸血症・痛風患者において，減量は血清尿酸値を低下させ，痛風発作の頻度を減少させる効果がある[6,7]．しかし，急速な減量により，血清尿酸値が上昇し[8]，発作を誘発することがあるため留意する必要がある[6,9]．

3 生活習慣の改善

食事療法や運動療法，禁煙といった生活習慣の改善が，メタボリックシンドローム治療の基本である．不適切な食品を控え，日常の身体活動を増やすことから始めるだけでも効果が期待できる．生活習慣を改善するには，医師のみならず栄養士，看護師，保健師など多職種による患者支援を通じて，動機付けや行動変容を促すことが肝要である．

食事療法は，エネルギー摂取量の適正化を基本とする．標準体重と身体活動量から，1日のエネルギー必要量を算出する．そして，年齢，肥満度，合併疾患など個々の患者に応じて，内臓脂肪量を減少させるのに適正なエネルギー摂取量に制限する．減量効果をみながら，段階的にエネルギー制限幅を調節することが大切である．ケトーシスをきたすような厳しいエネルギー制限では，血清尿酸値が上昇する危険性があり注意を要する[8]．また，エネルギー摂取制限下では，栄養バランスに留意する．糖質制限食が減量に有効とする報告も多いが，長期的な遵守性や安全性を担保するエビデンスは必ずしも十分でない[10]．患者の嗜好や特性に応じ，軽度の糖質制限にとどめるのが安全と思われる．一方，果糖入り飲料の摂取は，メタボリックシンドローム[11]と高尿酸血症のリスクとなるため，摂り過ぎないように注意すべきである．

運動療法は，体重減少が得られなくとも，継続して行うことでインスリン抵抗性を是正し，メタボリックシンドロームの各構成リスクを改善する効果をもたらす．食事療法を併せて行えば，より効果的に内臓脂肪量を減少させることができる．運動療法は有酸素運動とレジスタンス運動に分類されるが，ともに有効である．有酸素運動とは酸素供給に見合った運動で，ウォーキング，サイクリング，水泳など長時間継続可能な軽度または中程度の負荷の運動をいう．レジスタンス運動は，スクワットやダンベル体操など，筋肉に抵抗（レジスタンス）をかける動作を繰り返す運動で，筋肉量や筋力を増加させる効果もある．メタボリックシンドロームをもつ患者では，運動中の心血管イベントを回避するために，運動療法を開始する前にメディカルチェックを行うのがよい．負荷の強い無酸素運動や脱水をきたす運動は，血清尿酸値を上昇させるリスクがあるため，コントロール不良な痛風患者では避けるのがよい．

4 薬物療法

生活習慣の改善だけでは，十分な効果が得られない場合に薬物療法を行う．メタボリックシンドロームで顕在化した構成疾患に対しては，各疾患の治療ガイドラインに沿って個別に薬物治療を行う．

肥満治療薬は，中枢性食欲抑制薬のマジンドールと，脂肪吸収阻害薬のセチリスタットがわが国で承認されている（セチリスタットは発売延期になっている）．マジンドールは，BMI 35以上の高度肥満患者で適応となる．投与期間はできる限り短期間とし，最大3か月を限度としている．重度高血圧や脳血管障害などを伴う患者には使用禁忌で，糖尿病についても慎重投与となっている．セチリスタットは，2型糖尿病および脂質異常症をともに有するBMI 25以上の肥満症患者でのみ適応となる．膵リパーゼを阻害して脂肪吸収を抑制する．臨床治験で，プラセボ薬に比し，内臓脂肪面積，皮下脂肪面積，HbA1c，収縮期血圧，TC，LDL-Cが改善した．副作用として，下痢と脂肪便が多い．両肥満治療薬とも，血清尿酸値に対する改善効果は明確にされていない．

糖尿病治療薬は，体重増加作用がなく，インスリン抵抗性改善作用のある薬物がメタボリックシンドローム合併例に適している．SGLT2阻害薬は，インスリン抵抗性改善系薬には分類されないが，尿糖排泄促進作用に基づいて，体重減少，血圧低下，血清脂質改善効果が期待できる．大規模介入試験で，CVDを抑制することが報告されている[12,13]．また，SGLT2阻害薬は，尿中への尿酸排泄も促進し，血清尿酸値を下げる[14]．尿酸降下作用が明確に示されている糖尿病治療薬はSGLT2阻害薬に限られる．チアゾリジン薬は，インスリン抵抗性の改善を介して血糖降下作用を発揮する．体重は増加しやすいが，血清インスリン値は低下する．少数例の検討であるが，内臓脂肪量の減少効果や血清尿酸値の低下作用が報告されている．ビグアナイド薬はインスリン抵抗性改善系薬に分類され，体重には影響しない．CVDの抑制作用がある．GLP－1受容体作動薬は，体重減少作用があり，CVDの抑制作用も報告されている[15]．DPP4阻害薬，αグルコシダーゼ阻害薬は体重に影響しない．スルホニル尿素（SU）薬，グリニド薬，インスリン療法は内臓脂肪と体重を増加させやすい．

降圧薬は，インスリン抵抗性改善作用のあるアンジオテンシンII受容体拮抗薬（ARB），アンジオテンシン変換酵素（ACE）阻害薬，カルシウム拮抗薬，α遮断薬がメタボリックシンドローム合併例に適している．ロサルタンは尿酸トランスポーター1（URAT1）阻害作用を有し，尿酸降下作用がある．サイアザイド系利尿薬を投与する場合は，血清尿酸値の上昇に留意し，必要に応じて尿酸降下薬の併用を考慮する（第2章 7 高血圧［p.39］参照）．

LDL-Cの管理目標値は，メタボリックシンドロームを合併する糖尿病患者の二次予防において，70 mg/dL未満のより厳格な管理も考慮するとされる．高中性脂肪血症に対しては，フィブラート系薬が優れた適応となる．フェノフィブラートは，URAT1阻害作用を有し，尿酸降下作用がある．

尿酸降下薬については，メタボリックシンドローム合併例に対して推奨される薬剤選択を明示するエビデンスは乏しい．病型に基づく薬剤選択の原則に従えば，まずは腎への尿酸負荷が比較的少ない選択的尿酸再吸収阻害薬（SURI）の投与を考慮する．メタボリックシンドロームでは尿酸排泄能が低下する病態にあるためである．ただし，メタボリックシンドロームでは酸性尿や尿路結石をきたしやすい病態にもあるため[16]，尿路管理に十分留意する必要がある．一方，尿酸生成抑制薬は腎への尿酸負荷を軽減し，尿酸排泄低下型に対しても有効であるため，同薬を選択することができる．すでに尿路結石の形成が認められる場合には，SURI（ドチヌラド）を含め尿酸排泄促進薬は避け，尿酸生成抑制薬を投与する．

5 その他の治療

高度肥満を伴うメタボリックシンドローム例においては，肥満や肥満関連健康障害に対して，非内科的治療も考慮する．

1）肥満外科治療

肥満外科治療には，減量を主目的とするbariatric surgery（肥満外科手術）と，糖尿病をはじめ代謝異常の改善を主目的とするmetabolic surgeryがある．bariatric surgeryとしては，糖尿病などの健康障害を有するBMIが35以上の高度肥満患者に対する，腹腔鏡下スリーブ状胃切除術がわが国で保険適応となっている．ほかの術式は自由診療で行われている．肥満外科治療は，内科的治療に比し，確実な減量効果と長期間の減量維持が得られ，糖尿病，脂質異常症，高血圧，高尿酸血症にも優れた改善効果が示されている[17,18]．一方で，術後早期に，急激な血清尿酸値の低下によって，痛風発作が増えることも報告されている[9]．

2）持続気道陽圧呼吸治療

肥満は，高齢，男性，遺伝的素因とともに，閉塞性睡眠時無呼吸症候群（OSAS）の重大な危険因子である．持続気道陽圧呼吸治療（CPAP）は，睡眠中に鼻腔へ空気を機械的に陽圧で送りこむ治療法であり，OSASに伴う睡眠障害を改善し，血圧の低下がみられる[19]．CPAPで血清尿酸値は低下するという報告[20]がある一方，否定的な報告もある[21]．CPAPは，睡眠中の低・無呼吸状態が一定の重症度を超えれば保険適応になっている．CPAPが困難な患者に対しては，口腔内装置が代用治療となる[5]．

おわりに

尿酸のコントロールとともに，メタボリックシンドロームに対する包括的なリスク管理を通じて，動脈硬化性疾患の発症予防と進展阻止が期待できる．

文　献

1）Matsuzawa Y, Funahashi T, Nakamura T : The concept of metabolic syndrome : contribution of visceral fat accumulation and its molecular mechanism. *J Atheroscler Thromb* **18** : 629-639, 2011
2）Goldberg RB, Mather K : Targeting the consequences of the metabolic syndrome in the Diabetes Prevention Program.

Arterioscler Thromb Vasc Biol **32** : 2077-2090, 2012
3) Yamaoka K, Tango T : Effects of lifestyle modification on metabolic syndrome : a systematic review and meta-analysis. *BMC Med* **10** : 138, 2012
4) Muramoto A, Matsushita M, Kato A, *et al.* : Three percent weight reduction is the minimum requirement to improve health hazards in obese and overweight people in Japan. *Obes Res Clin Pract* **8** : e466-475, 2014
5) 日本肥満学会編：肥満症診療ガイドライン．ライフサイエンス出版，2016
6) Nielsen SM, Bartels EM, Henriksen M, *et al.* : Weight loss for overweight and obese individuals with gout : a systematic review of longitudinal studies. *Ann Rheum Dis* **76** : 1870-1882, 2017
7) Dessein PH, Shipton EA, Stanwix AE, *et al.* : Beneficial effects of weight loss associated with moderate calorie/carbohydrate restriction, and increased proportional intake of protein and unsaturated fat on serum urate and lipoprotein levels in gout : a pilot study. *Ann Rheum Dis* **59** : 539-543, 2000
8) Castaldo G, Palmieri V, Galdo G, *et al.* : Aggressive nutritional strategy in morbid obesity in clinical practice : Safety, feasibility, and effects on metabolic and haemodynamic risk factors. *Obes Res Clin Pract* **10** : 169-177, 2016
9) Romero-Talamás H, Daigle CR, Aminian A, *et al.* : The effect of bariatric surgery on gout : a comparative study. *Surg Obes Relat Dis* **10** : 1161-1165, 2014
10) 日本糖尿病学：日本人の糖尿病の食事療法に関する日本糖尿病学会の提言：糖尿病における食事療法の現状と課題．糖尿病 **56** : 1-5, 2013
11) Malik VS, Popkin BM, Bray GA, *et al.* : Sugar-sweetened beverages and risk of metabolic syndrome and type 2 diabetes : a meta-analysis. *Diabetes Care* **33** : 2477-2483, 2010
12) Zinman B, Wanner C, Lachin JM, *et al.* : Empagliflozin, Cardiovascular Outcomes, and Mortality in Type 2 Diabetes. *N Engl J Med* **373** : 2117-2128, 2015
13) Neal B, Perkovic V, Mahaffey KW, *et al.* : Canagliflozin and Cardiovascular and Renal Events in Type 2 Diabetes. *N Engl J Med* **377** : 644-657, 2017
14) Davies MJ, Trujillo A, Vijapurkar U, *et al.* : Effect of canagliflozin on serum uric acid in patients with type 2 diabetes mellitus. *Diabetes Obes Metab* **17** : 426-429, 2015
15) Marso SP, Daniels GH, Brown-Frandsen K, *et al.* : Liraglutide and Cardiovascular Outcomes in Type 2 Diabetes. *N Engl J Med* **375** : 311-322, 2016
★16) Abate N, Chandalia M, Cabo-Chan AV Jr, *et al.* : The metabolic syndrome and uric acid nephrolithiasis: novel features of renal manifestation of insulin resistance. *Kidney Int* **65** : 386-392, 2004
17) Sjöström L, Lindroos AK, Peltonen M, *et al.* : Lifestyle, diabetes, and cardiovascular risk factors 10 years after bariatric surgery. *N Engl J Med* **351** : 2683-2693, 2004
18) Adams TD, Davidson LE, Litwin SE, *et al.* : Weight and Metabolic Outcomes 12 Years after Gastric Bypass. *N Engl J Med* **377** : 1143-1155, 2017
19) Fava C, Dorigoni S, Dalle Vedove F, *et al.* : Effect of CPAP on blood pressure in patients with OSA/hypopnea a systematic review and meta-analysis. *Chest* **145** : 762-771, 2014
20) Seetho IW, Parker RJ, Craig S, *et al.* : Serum urate and obstructive sleep apnoea in severe obesity. *Chron Respir Dis* **12** : 238-246, 2015
21) Prudon B, Roddy E, Stradling JR, *et al.* : Serum urate levels are unchanged with continuous positive airway pressure therapy for obstructive sleep apnea : a randomized controlled trial. *Sleep Med* **14** : 1419-1421, 2013

第2章　治療

11 腫瘍崩壊症候群における高尿酸血症

要点

- 腫瘍崩壊症候群は治癒を目指しうる緊急疾患である.
- 腫瘍崩壊症候群の高尿酸血症に対する薬物治療として，アロプリノール，フェブキソスタット，ラスブリカーゼの3薬が選択される.
- 腫瘍の種類や腫瘍量などを考慮して腫瘍崩壊症候群の発症リスクを低・中間・高リスクの3群に分類し，それぞれのリスクに応じた予防処置を行う.

二次性高尿酸血症は，悪性腫瘍などの基礎疾患や薬物投与に合併して発症し，二次性痛風は全痛風症例中約5%を占める．なかでも腫瘍崩壊症候群（TLS）における高尿酸血症は迅速かつ適切な治療により，大部分が回復可能である．また，悪性腫瘍の種類やその腫瘍量などからTLS発症リスクが予測され，リスク分類に基づいた予防処置が勧められる.

1 腫瘍崩壊症候群とは？

腫瘍細胞の急速かつ大量の崩壊により，細胞内の代謝産物である核酸，蛋白，リン，カリウムなどが血中に大量に放出されることにより引き起こされる．尿中排泄能を超えた大量の代謝産物が急激に血中に放出されることから，高尿酸血症，高カリウム血症，高リン血症，低カルシウム血症，高サイトカイン血症をきたし，急性腎不全，けいれん，不整脈，多臓器不全などの病態が引き起こされる.

TLSは，①造血器腫瘍，②腫瘍量が多いあるいは化学療法感受性が高い固形がん，に出現しやすい．TLSの一般的な危険因子として，①腫瘍細胞の増殖率が高いこと，②化学療法に対する感受性が高いこと，③腫瘍量が多い（腫瘍径10 cm以上，白血球数≧50,000/μL，血清LDH値が正常上限2倍以上，臓器または骨髄浸潤あり）ことがあげられる．実際のTLSの発症頻度は，急性骨髄性白血病（AML）17%，急性リンパ性白血病（ALL）47%，慢性リンパ性白血病（CLL）3.5%，慢性骨髄性白血病（CML）4%，非ホジキンリンパ腫（NHL）22%，多発性骨髄腫（MM）1.4%，固形がん3.6%，との報告がある[1].

2 腫瘍崩壊症候群の診断基準

現在，TLSは2004年に報告されたCairo-Bishop分類に基づきlaboratory（検査的）TLSとclinical（臨床的）TLSの2つに分けて定義され，2010年に改良されたTLS panel consensusの診断基準が汎用されている（表1）[2]．これらに基づき2008年に米国臨床腫瘍学会が世界初のTLSガイドラインを作成し[3]，わが国では2013年に日本臨床腫瘍学会がTLS診療ガイダンスを作成した．さらに第2版が2021年に発行された[4]．臨床的TLSは直ちに積極的な治療介入が必要であり，本来のがん治療が継続困難になる事態も予測されるため，その発症予防が極めて重要となる.

3 腫瘍崩壊症候群のリスク評価

TLSのリスク評価は，①検査的TLSの有無，②疾患によるリスク分類（表2），③腎機能による調整，の3ステップで行う[2-4].

まず血清尿酸値，カリウム，リン，カルシウムを測定する．検査的TLSと臨床的TLSを同時に認める場合，TLSの治療を行う（表3）[4]．検査的TLSのみを認める場合，高リスクの予防処置に準ずる（表3）[4].

検査的TLSを認めない場合，疾患によるリスク分類（表2）[4]にしたがって予防処置を行う．血清クレアチニンが基準値を超えている場合，腎障害ありと判断し，白血病・リンパ腫ではリスクを一段階上げて対応する.

表1 腫瘍崩壊症候群の診断基準（Cairo-Bishop 分類，2010 年改訂版）

検査的 TLS（Laboratory TLS）：右記の臨床検査値異常のうち 2 つ以上が，化学療法 3 日前から開始 7 日後までに認められる	・高尿酸血症：基準値上限を超える ・高カリウム血症：基準値上限を超える ・高リン血症：基準値上限を超える
臨床的 TLS（Clinical TLS）：検査的 TLS に加えて右記のいずれかの臨床症状を伴う	・腎機能障害：血清クレアチニン値が基準値上限の 1.5 倍以上 ・不整脈，突然死 ・けいれん

〔Cairo MS, Coiffier B, Reiter A, *et al.*：Recommendations for the evaluation of risk and prophylaxis of tumor lysis syndrome (TLS) in adults and children with malignant diseases：an expert TLS panel consensus. *Br J Haematol* **149**：578-586, 2010 より引用〕

化学療法中はこのステップを定期的に再評価する.

4 腫瘍崩壊症候群の予防と治療

リスク分類による TLS の予防法と TLS の治療について表 3[4] にまとめた.

現在 TLS の高尿酸血症治療薬として，尿酸生成抑制薬であるアロプリノール，フェブキソスタットと，尿酸分解酵素薬であるラスブリカーゼの 3 薬を選択することができる．その特徴と具体的な使用法は次のとおりである.

腫瘍崩壊症候群に対して，尿酸排泄促進薬である非選択的尿酸再吸収阻害薬や選択的尿酸再吸収阻害薬（SURI）は共に用いない.

1） アロプリノール

キサンチン酸化還元酵素（XOR）阻害作用をもつ尿酸生成抑制薬であり，すでに腫瘍細胞から放出された尿酸を低下させる作用をもたないため，化学療法開始 1～2 日前に投与を開始する必要がある．尿酸の前駆体であるキサンチンやヒポキサンチンの濃度を上昇させ，キサンチン析出によるキサンチン腎症を発症する可能性がある．通常 1 日 300 mg 分 3 の投与であるが，腎機能により投与量の調整が必要である．昔から使用されているが，TLS に対する保険適応はない.

表2 腫瘍崩壊症候群を起こしうる腫瘍のリスク分類

リスク分類	代表的な疾患
低リスク（TLS 発症が 1% 未満）	固形がん MM（新規薬剤によるリスク上昇の可能性あり） CML CLL（アルキル化剤のみの治療） AML（< 25,000/ μL） 低悪性度悪性リンパ腫 DLBCL, PTCL, ATL（LDH ≦基準値上限）
中間リスク（TLS 発症が 1～5%）	CLL（生物学的製剤，分子標的薬の治療） AML（≧ 25,000/ μL かつ < 100,000/ μL） ALL（< 100,000/ μL） DLBCL，PTCL，ATL（LDH ≧基準値上限かつ bulky 病変なし） BL，LBL（LDH < 2 ×基準値上限）
高リスク（TLS 発症が 5% 以上）	AML（≧ 100,000/ μL） ALL（≧ 100,000/ μL） バーキット白血病 DLBCL，PTCL，ATL（LDH ≧基準値上限かつ bulky 病変あり） BL, LBL（進行期, LDH ≧ 2 ×基準値上限） CLL（高腫瘍量でリツキシマブ＋ベンダムスチン投与時，またはベネトクラクス投与時）

MM：多発性骨髄腫，CML：慢性骨髄性白血病，CLL：慢性リンパ性白血病，AML：急性骨髄性白血病，DLBCL：びまん性大細胞型 B 細胞リンパ腫，PTCL：末梢性 T 細胞リンパ腫，ATL：成人 T 細胞白血病，ALL：急性リンパ性白血病，BL：バーキットリンパ腫，LBL：リンパ芽球性リンパ腫.
〔日本臨床腫瘍学会（編）：腫瘍崩壊症候群（TLS）診療ガイダンス（第 2 版）．金原出版 2021 を基に作成〕

2） フェブキソスタット

非プリン型の XOR 阻害薬である．腎以外からも排泄されるため，軽度～中等度の腎障害時でも用量調節が不要で安全性が高い．2016 年 5 月に「がん化学療法に伴う高尿酸血症」の効能・効果が追加承認された[5,6]．通常 1 日 1 回 60 mg を化学療法開始 1～2 日前から開始し，投与 5 日後まで投与する.

3） ラスブリカーゼ

遺伝子組み換え型尿酸オキシダーゼであり，尿酸をアラントインに分解・代謝する．代謝は速やかで，アラントインの尿中溶解度は尿酸と比して極めて高く，血中尿酸濃度は急速に低下する．「がん化学療法に伴う高尿酸血症」に保険適応がある[7-9]．投与時の過敏反応

表3 腫瘍崩壊症候群の予防と治療

	TLS予防低リスク	中間リスク	高リスク	TLS治療
モニタリング	治療開始後，最終の化学療法薬投与24時間後まで1日1回 ⇒血液*1，水分量	治療開始後，最終の化学療法薬投与24時間後まで8〜12時間毎 ⇒血液*1，水分量	治療開始後，最終の化学療法薬投与24時間後まで頻回に（4〜6時間毎） ⇒血液*1，水分量，心電図	治療開始後，最終の化学療法薬投与24時間後まで頻回に（4〜6時間毎） ⇒血液*1，水分量，心電図
補液	通常量の補液	大量補液*2 ・尿アルカリ化は不要	大量補液*2 ・尿アルカリ化は不要	大量補液*2 ・尿アルカリ化は不要
高尿酸血症	予防投与は不要 ・TLSの危険因子がある場合，アロプリノールまたはフェブキソスタットの投与を推奨	アロプリノールまたはフェブキソスタット（化学療法の1〜2日前から開始し，終了後3〜7日目まで継続） ・高尿酸血症進行時にはラスブリカーゼを考慮	ラスブリカーゼ（0.2 mg/kg/回，1日1回点滴を化学療法開始4〜24時間前から開始し，最大7日間投与） ・G6PD欠損患者には禁忌である．その際にはアロプリノールあるいはフェブキソスタットを投与する	ラスブリカーゼ（0.2 mg/kg/回，1日1回点滴，最大7日間投与） ・G6PD欠損患者には禁忌である．その際にはアロプリノールあるいはフェブキソスタットを投与する
高カリウム／高リン血症			高カリウム血症*3／高リン血症*4に対する管理	高カリウム血症*3／高リン血症*4に対する管理
腫瘍量の軽減			・腫瘍量軽減の治療*5を考慮 ・白血球数の異常増加を認める場合にleukocytopheresisを考慮	・腫瘍量軽減の治療*5を考慮 ・白血球数の異常増加を認める場合にleukocytopheresisを考慮
腎機能代行療法				腎機能代行療法

*1：血液検査必須項目：尿酸，リン酸，カリウム，クレアチニン，カルシウム，LDH．
*2：大量補液：2,500〜3,000 mL/m²/日を目標に生理食塩水などカリウム，リン酸を含まない製剤を投与．
*3：高カリウム血症の治療：カリウム値に応じて，ポリスチレンスルホン酸ナトリウム投与，グルコース・インスリン療法，腎機能代行療法などを施行．
*4：高リン血症の治療：リン酸値に応じて，リン酸結合剤（水酸化アルミニウム，炭酸カルシウムなど）投与，腎機能代行療法などを施行．
*5：腫瘍量軽減の治療：急性リンパ性白血病に対するステロイド先行治療など．
〔日本臨床腫瘍学会（編）：腫瘍崩壊症候群（TLS）診療ガイダンス（第2版）．金原出版，2021を基に作成〕

に注意し，抗体産生の報告があるため本剤の治療歴がないことを確認して投与を行う．通常，化学療法開始4〜24時間前に開始し，1日1回0.2 mg/kgを30分以上かけて点滴静注する．最大7日間まで投与が可能である．

5 その他の二次性高尿酸血症の治療

二次性高尿酸血症においても原発性と同様に，腎負荷型（尿酸産生過剰型と腎外排泄低下型），尿酸排泄低下型，混合型に分類し，治療はまず基礎疾患の治療や原因薬物の減量・中止を図る[10]．しかしながら，これらの処置にはしばしば限界があり，この場合には基本的に原発性の治療に準じる．

おわりに

本項ではTLSの概略とその高尿酸血症治療を中心にまとめた．詳細は，日本臨床腫瘍学会（編）「腫瘍崩壊症候群（TLS）診療ガイダンス」[4]を参照されたい．

文　献

1) Jeha S, Kantarjian H, Irwin D, *et al.* : Efficacy and safety of rasburicase, a recombinant urate oxidase (Elitek), in the management of malignancy-associated hyperuricemia in pediatric and adult patients : final results of a multicenter compassionate use trial. *Leukemia* **19** : 34-38, 2005
2) Cairo MS, Coiffier B, Reiter A, *et al.* : Recommendations for the evaluation of risk and prophylaxis of tumor lysis syndrome (TLS) in adults and children with malignant diseases : an expert TLS panel consensus. *Br J Haematol* **149** : 578-586, 2010
3) Coiffier B, Altman A, Pui CH, *et al.* : Guidelines for the management of pediatric and adult tumor lysis syndrome : an evidence-based review. *J Clin Oncol* **26** : 2767-2778, 2008
★4) 日本臨床腫瘍学会（編）：腫瘍崩壊症候群（TLS）診療ガイダンス（第2版）．金原出版，2021
5) FLORENCE : a randomized, double-blind, phase III pivotal study of febuxostat versus allopurinol for the prevention of tumor lysis syndrome (TLS) in patients with hematologic melignancies at intermediate to high TLS risk. *Ann Oncol* **26** : 2155-2161, 2015
6) Tamura K, Kawai Y, Kiguchi T, *et al.* : Efficacy and safety of febuxostat for prevention of tumor lysis syndrome in patients with malignant tumors receiving chemotherapy : a phase III, randomized, multi-center trial comparing febuxostat and allopurinol. *Int J Clin Oncol* **21** : 996-1003, 2016
7) Goldman SC, Holcenberg JS, Finklestein JZ, *et al.* : A randomized comparison between rasburicase and allopurinol in children with lymphoma or leukemia at high risk for tumor lysis. *Blood* **97** : 2998-3003, 2001
8) Ishizawa K, Ogura M, Hamaguchi M, *et al.* : Safety and efficacy of rasburicase (SR29142) in a Japanese phase II study. *Cancer Sci* **100** : 357-362, 2009
9) Cortes J, Moore JQ, Maziarz RT, *et al.* : Control of plasma uric acid in adults at risk for tumor lysis syndrome : efficacy and safety of rasburicase alone and rasburicase followed by allopurinol compared with allopurinol alone-results of multicenter phase III study. *J Clin Oncol* **28** : 4207-4213, 2010
10) 山内高弘，上田孝典：二次性高尿酸血症・痛風の治療．痛風と核酸代謝 **34** : 236-237, 2010

第2章 治療

12 生活指導

要点

- 痛風・高尿酸血症の治療には，薬物療法の有無にかかわらず生活指導が重要である．
- 生活指導は，食事療法，飲酒制限，運動の推奨が基本となる．
- 食事療法としては，適正なエネルギーの摂取，プリン体・果糖の過剰摂取の回避，腎機能に応じた適切な飲水が勧められる．
- 運動は肥満防止，メタボリックシンドロームの抑制に推奨され，特に適切な強度の有酸素運動が勧められる．

痛風，高尿酸血症は生活習慣病であり，強力な尿酸降下薬が開発され血清尿酸値のコントロールが容易になった現在においても，生活指導の役割は大きい．痛風の原因となる高尿酸血症を引き起こす要因として，内因性のプリン体合成，あるいは分解の亢進とならび，外因性の要因である高プリン食やアルコールが重要である．またプリン体の排泄経路として，腎を介する経路，消化管を介する経路があり，いずれの経路の尿酸クリアランス（C_{UA}）の低下も高尿酸血症の原因となる．運動は上記の尿酸産生および排泄経路に正または負の影響を与えうる．また肥満とそれに随伴するメタボリックシンドロームは高尿酸血症と密接な関連があり[1]，食事療法と運動は肥満防止を通じて痛風治療に有効であると考えられる．

1 食事療法

肥満度指数（BMI）や体脂肪率が高くなると，それに伴って血清尿酸値が高いことが報告されており[2]，肥満の解消は血清尿酸値を低下させる効果が期待される．高尿酸血症だけでなく生活習慣病すべてに当てはまる食事療法として，適正なエネルギーの摂取が重要である．患者の適正なエネルギー摂取量は身体活動量や肥満の有無によって異なる．個々の適正なエネルギー量の求め方は，はじめに標準体重（kg）を“身長（m）^{2} × 22”で計算してから，標準体重1 kgあたり，軽い労作（デスクワークが多い職業など）は25～30 kcal/kg，普通の労作（立ち仕事が多い職業など）は30～35 kcal/kg，重い労作（力仕事が多い職業など）は35 kcal/kg，をかけて算出する[3]．

食事中に含まれるプリン体の過剰摂取は，血清尿酸値を上昇させ，痛風リスクを高めるため摂り過ぎないように指導する．食材によりプリン体含有量が異なることを考慮し食事指導する（表1）．

健常者にプリン体であるRNAを1日4 g数日間摂取させると高尿酸血症を呈する[4]．食事には食材由来のプリン体が含まれており，一般的にプリン体は細胞分裂が活発な組織に多く含有されている[5]．実際に肉や魚を多く摂取する高プリン食では血清尿酸値は上昇し[6]，プリン体摂取量が多いほど痛風発作の再発リスクが高まることが報告されており[7]，プリン体の1日の摂取量が400 mg程度になるよう推奨される．食材中の濃度が高くても少量におさえればよく，逆にビールのように濃度は低くても摂取量が多ければ影響は大きくなる．プリン体は水溶性なので，高プリン体の食材であってもプリン体が溶出した煮汁を摂取しなければ摂取量を抑制できる．

2 飲酒制限

アルコール摂取と痛風発症のリスクに関する17の疫学調査をまとめたメタアナリシスでは，少量飲酒者（アルコール12.5 g未満）で1.2倍，中程度飲酒者（12.6～37.4 g）で1.6倍，大量飲酒者（37.5 g以上）で2.6倍，とアルコール摂取量により痛風の発症リスクが高まり[8]，わが国の前向き研究においてもアルコール摂取量は高尿酸血症のオッズ比を高めることが報告されている[9,10]ので，適量を超えないよう指導する．アルコー

表1　食品中のプリン体含有量（100 g あたり）

極めて多い（300 mg ～）	鶏レバー，干物（マイワシ），白子（イサキ，ふぐ，たら），あんこう（肝酒蒸し），太刀魚，健康食品（DNA/RNA，ビール酵母，クロレラ，スピルリナ，ローヤルゼリー）など
多い（200 ～ 300 mg）	豚レバー，牛レバー，カツオ，マイワシ，大正エビ，オキアミ，干物（マアジ，サンマ）など
中程度（100 ～ 200 mg）	肉（豚・牛・鶏）類の多くの部位や魚類など ほうれんそう（芽），ブロッコリースプラウト
少ない（50 ～ 100 mg）	肉類の一部（豚・牛・羊），魚類の一部，加工肉類など ほうれんそう（葉），カリフラワー
極めて少ない（～ 50 mg）	野菜類全般，米などの穀類，卵（鶏・うずら），乳製品，豆類，きのこ類，豆腐，加工食品など

ルは体内で代謝される際に肝でATPを消費し，過剰摂取では肝での代謝時に内因性プリン分解を亢進することにより血清尿酸値を上昇させる[11]．またアルコール飲料に含まれるプリン体[12]の影響も重要で，酵母，麦芽由来のプリン体を多く含むビールが蒸留酒やワイン（red wine）よりも血清尿酸値を上昇させる[13]．また，アルコールを含まないビール凍結乾燥水溶液は血清尿酸値を上昇させ[14]，プリン体カット発泡酒は通常の発泡酒と比して血清尿酸値を上昇させない[15]．このことから，血清尿酸値に及ぼすビールの上昇効果は，ビールに含まれるプリン体の含量が主な要因と考えられる．ビールの銘柄によってプリン体含有量は異なり，地ビールはプリン体濃度が高いものがある[16]．アルコール飲料のなかでビールが最も痛風リスクを高める[17]．したがって，血清尿酸値への影響を最低限に保つ摂取量の目安は1日に日本酒1合，ビールは販売元によって350 mL～500 mL，ウイスキー60 mLとされている．またワインは148 mLまでは血清尿酸値を上げない[13]．

3　尿酸代謝に影響する食物

果糖，キシリトールは代謝される際にプリン体分解亢進をきたし血清尿酸値を上昇させる[18]．果糖はショ糖（砂糖）の構成成分であり，その過剰摂取は痛風のリスクとなるため[19,20]，果糖を多く含む甘味飲料や果物ジュースは控えるほうがよい．果物の摂取は痛風のリスクを上げない，あるいは果物や野菜，蜂蜜などを含む総ショ糖摂取量と高尿酸血症リスクとは関連がみられなかった[21]との観察研究もあるが，甘い果物は果糖を多く含むため摂りすぎないことを勧める．それとは逆にコーヒー[22]，チェリー[23]，ビタミンC[24]，乳製品（特に低脂肪乳製品）[6,25]は，大規模臨床試験が行われていないが，痛風リスクを低減すると報告されている．

近年血清尿酸値を低下させる総合的な食生活のスタイルが提案されている．果物，野菜，ナッツ，低脂肪乳製品，全粒穀類，および鞘豆類を多く摂り，食塩，甘味飲料，および肉類摂取を減らしたDASH（Dietary Approaches to Stop Hypertension）食群では血清尿酸値が低下し[26]，肉類，フライドポテト，精製粉食品，甘味およびデザートを多く摂取する西欧食（Western diet）群よりも痛風の相対危険度が有意に低下した[27]．またイタリア，スペイン，ギリシアなど地中海沿岸諸国の伝統的食事である地中海食はDASH食同様に果物，野菜，ナッツ，豆類，全粒穀物，乳製品を毎日，魚を週2回程度食し肉類，甘味，菓子類の摂取量が少ない．この地中海食の要素の多さと血清尿酸値とは負の相関があり[28]，地中海食は，BMIとは無関係にクレアチニンと血清尿酸値の低下と関連した[29]．また食物繊維摂取量が多いほど高尿酸血症発症リスクが低い[21]．痛風の重要な合併症である尿路結石の予防には，尿アルカリ化と飲水が有効である．アルカリ化にはクエン酸など有機酸を含む食材が推奨され，DASH食の要素が多いほど尿pHは高くなる[30]．飲水量は1日の尿量を2,000 mL以上に保つことを目標にするのが勧められる[31]．ただし痛風・高尿酸血症に慢性腎臓病（CKD）が合併した場合の飲水量は慎重に設定する必要がある．

4　運動と尿酸

運動は肥満を是正しメタボリックシンドロームを改善することにより血清尿酸値を低下させることが期待されるが，その反面ATP分解による尿酸産生亢進と腎血流量低下および乳酸産生増加による尿酸排泄低下の両方により高尿酸血症をきたす[32]．特に短時間の激しい運動で血清尿酸値が上昇するが，有酸素運動ではそうではない[33]．また持続的に長距離走を行っている選手たちの血清尿酸値は，運動しない者より低い傾向にあり[34]，運動には継続性が重要である．運動強度は嫌気性代謝閾値（anaerobic threshold：AT）の40～50％程度がよいと考えられる[35]．具体的には歩行，ジョギング，サイクリング，社交ダンスなどの有酸素運動を脈が少し速くなる程度に行い，少なくとも10分以上の運動を合計1日30分以上または60分程度行うことが適している[36]．有酸素運動とレジスタンス運動を組み合わせると肥満是正，糖代謝障害改善に有効と報告されているが，痛風患者はレジスタンス運動により血清尿酸値が上昇しやすい[37]ため，低強度の運動が勧められる．痛風の既往がある患者は，関節に負担がかかることにより痛風を誘発する危険性があり，また痛風患者には虚血性心疾患の合併も懸念されるため，運動強度の決定は慎重に行う必要がある．また発汗による脱水予防に，運動前後の適切な水分補給も必要である．

おわりに

生活習慣の改善は継続性が不可欠であり，患者の意欲を高め自発性を維持するため，きめ細かな説明で患者に治療内容を納得してもらう必要がある．治療が長期化すると中だるみ，リバウンドが生じやすいことにも注意する．またストレスや睡眠不足[38]でも高尿酸血症が生じることに留意し，生活習慣を見直し，生活の質の向上を目指していけるようなサポートが重要である．

文献

1) Choi HK, Ford ES : Prevalence of the metabolic syndrome in individuals with hyperuricemia. *Am J Med* **120** : 442-447, 2007
2) 疋田美穂，細谷龍男：高尿酸血症と痛風 **10** : 134-139, 2002
3) 日本糖尿病学会（編）：糖尿病診療ガイドライン 2016，南江堂，40，2016
4) Yu TS, Berger L, Gutman AB : Renal function in gout : II. Effect of uric acid loading on renal excretion of uric acid. *Am J Med* **33** : 829-844, 1962
5) Kaneko K, Aoyagi Y, Fukuuchi T, *et al.* : Total purine and purine base content of common foodstuffs for facilitating nutritional therapy for gout and hyperuricemia. *Biol Pharm Bull* **37** : 709-721, 2014
6) Choi HK, Atkinson K, Karlson EW, *et al.* : Purine-rich foods, dairy and protein intake, and the risk of gout in men. *N Engl J Med* **350** : 1093-1103, 2004
7) Zhang Y, Chen C, Choi H, *et al.* : Purine-rich foods intake and recurrent gout attackes. *Ann Rheum Dis* **71** : 1448-1453, 2012
8) Wang M, Jiang X, Wu W, *et al.* : A meta-analysis of alcohol consumption and the risk of gout. *Clin Rheumatol* **32** : 1641-1648, 2013
9) Nakamura K, Sakurai M, Miura K, *et al.* : Alcohol intake and the risk of hyperuricaemia : a 6-year prospective study in Japanese men. *Nutr Metab Cardiovasc Dis* **22** : 989-996, 2012
10) Makinouchi T, Sakata K, Oishi M, *et al.* : Benchmark dose of alcohol consumption for development of hyperuricemia in Japanese male workers : An 8-year cohort study. *Alcohol* **56** : 9-14, 2016
11) Yamamoto T, Moriwaki Y, Takahashi S : Effect of ethanol on metabolism of purine bases (hypoxanthine, xanthine, and uric acid). *Clin Chim Acta* **356** : 35-57, 2005
12) 藤森 新，中山裕子，金子希代子，他：アルコール飲料中のプリン体含有量．尿酸 **9** : 128-133, 1985
13) van der Gaag MS, van den Berg R, van den Berg H, *et al.* : Moderate consumption of beer, red wine and spirits has counteracting effects on plasma antioxidants in middle-aged men. *Eur J Clin Nutr* **54** : 586-591, 2000
14) Yamamoto T, Moriwaki Y, Takahashi S, *et al.* : Effect of beer on the plasma concentrations of uridine and purine bases. *Metabolism* **51** : 1317-1323, 2002
15) Yamamoto T, Moriwaki Y, Ka T, *et al.* : Effect of purine-free low-malt liquor (happo-shu) on the plasma concentrations and urinary excretion of purine bases and uridine--comparison between purine-free and regular happo-shu. *Horm Metab Res* **36** : 231-237, 2004
16) 小片絵理，山辺智代，金子希代子，他：ビール中のプリン体含有量．痛風と核酸代謝 **24** : 9-13, 2000
17) Choi HK, Atkison K, Karlson EW, *et al.* : Alcohol intake and risk of incident gout in men : a prospective study. *Lancet* **363** : 1277-1281, 2004
18) Yamamoto T, Moriwaki Y, Takahashi S, *et al.* : Effects of fructose and xylitol on the urinary excretion of adenosine, uridine, and purine bases. *Metabolism* **48** : 520-524, 1999
19) Choi JW, Ford ES, Gao X, *et al.* : Sugar-sweetened soft drinks, diet soft drinks, and serum uric acid level : the Third National Health and Nutrition Examination Survey. *Arthritis Rheum* **59** : 109-116, 2008
20) Jamnik J, Rehman S, Blanco MS, *et al.* : Fructose intake and risk of gout and hyperuricemia : a systematic review and meta-analysis of prospective cohort studies. *BMJ Open* **6** : e013191, 2016
21) Sun SZ, Flickinger BD, Williamson Hughes PS, *et al.* : Lack of association between dietary fructose and hyperuricemia risk in adilts. *Nutr Metab (Lond)* **7** : 16, 2010
22) Zhang Y, Yang T, Zeng C, *et al.* : Is coffee consumption associated with a lower risk of hyperuricaemia or gout? A systematic review and meta-analysis. *BMJ Open* **6** : e009809, 2016
23) Zhang Y, Neogi T, Chen C, *et al.* : Cherry consumption and decreased risk of recurrent gout attacks. *Arthritis Rheum* **64** : 4004-4011, 2012
24) Juraschek SP, Miller ER 3rd, Gelber AC : Effect of oral vitamin C supplementation on serum uric acid : a meta-analysis of randomized controlled trials. *Arthritis Care Res (Hoboken)* **63** : 1295-1306, 2011
25) Dalbeth N, Palmano K : Effects of dairy intake on hyperuricemia and gout. *Curr Rheumatol Rep* **13** : 132-137, 2011
26) Juraschek, SP, Gelber AC, Choi HK, *et al.* : Effects of the Dietary Approaches to Stop Hypertension (DASH) Diet and Sodium Intake on Serum Uric Acid. Arthritis. *Rheumatol* **68** : 3002-3009, 2016
27) Rai SK, Fung TT, Lu N, *et al.* : The Dietary Approaches to Stop Hypertension (DASH) diet, Western diet, and risk of gout in men : prospective cohort study. *BMJ* **9** : 357, 2017
28) Chrysohoou C, Skoumas J, Pitsavos C, *et al.* : Long-term adherence to the Mediterranean diet reduces the prevalence of hyperuricaemia in elderly individuals, without known cardiovascular disease : the Ikaria study. *Maturitas* **70** : 58-64, 2011
29) Alkerwi A, Vernier C, Crichton GE, *et al.* : Cross-comparison of diet quality indices for predicting chronic disease risk : findings from the Observation of Cardiovascular Risk Fac-

tors in Luxembourg (ORISCAV-LUX) study. *Br J Nutr* **113** : 259-269, 2015
★30) Taylor EN, Stampfer MJ, Mount DB, *et al.* : DASH style diet and 24-hour urine composition. *Clin J Am Soc Nephrol* **5** : 2315-2322, 2010
31) 日本泌尿器科学会，日本泌尿器内視鏡学会，日本尿路結石症学会（編）：尿路結石症診療ガイドライン2013年版（第2版）．金原出版，96, 2012
32) Mineo I, Tarui S : Myogenic hyperuricemia : what can we learn from metabolic myopathies? *Muscle Nerve* **Suppl 3** : S75-81, 1995
33) Yamanaka H, Kawagoe Y, Taniguchi A, *et al.* : Accelerated purine nucleotide degradation by anaerobic but not by aerobic ergometer muscle exercise. *Metabolism* **41** : 364-369, 1992
34) Williams PT : Relationship of distance run per week to coronary heart disease risk factors in 8283 male runners. The National Runners' Health Study. *Arch Intern Med* **157** : 191-198, 1997
35) 伊藤 朗：高尿酸血症の運動処方．身体活動と生活習慣病　運動生理学と生活習慣病予防・治療最新の研究　日本臨床（増刊）**58** : 431-436, 2000
36) 厚生労働省　厚生科学審議会地域保健健康増進栄養部会　次期国民健康づくり運動プラン策定専門委員会編：身体活動・運動．健康日本21（第2次）の推進に関する参考資料．104-110, 2012
37) 大山博司，諸見里仁，大山恵子，他：高尿酸血症患者に対する運動負荷の影響．痛風と核酸代謝 **39** : 96-97, 2015
38) Qiu L, Cheng XQ, Wu J, *et al.* : Prevalence of hyperuricemia and its related risk factors in healthy adults from Northern and Northeastern Chinese provinces. *BMC Public Health* **13** : 664, 2013

第2章 治療

13 小児の高尿酸血症

要点

- 小児では高尿酸血症の診断に際して，年齢別の血清尿酸基準値を考慮すべきである.
- 痛風は小児期にはきわめてまれであり，そのほとんどは何らかの基礎疾患をもつ.
- 乳幼児期から高尿酸血症を呈する疾患として，先天代謝異常症（酵素異常症，トランスポーター異常症），ダウン症候群があげられる．急性胃腸炎は高尿酸血症をきたす疾患として小児科臨床で遭遇する頻度が高いが，通常輸液により高尿酸血症はすみやかに改善する.
- 肥満小児は高尿酸血症の合併頻度が高い．小児期の高尿酸血症は，メタボリックシンドロームを合併しやすく，また成人期の生活習慣病（特に心血管病変）を発症する危険因子である可能性が指摘されている.
- 小児期の高尿酸血症の薬物治療として古くからアロプリノールが用いられているが小児科領域における有効性や安全性は不明である．新しい尿酸降下薬であるフェブキソスタットも臨床に導入され，小児患者を対象とした有効性，安全性および薬物動態に関する臨床試験が開始されている.

小児の高尿酸血症は臨床では遭遇する機会が多く，その要因としてさまざまな疾患や病態がある．小児の高尿酸血症について現段階におけるエビデンスを可能な限り紹介する.

1 小児の高尿酸血症の診断

小児の高尿酸血症を診断するにあたり，コンセンサスの得られた血清尿酸値（以下：尿酸値）のカットオフ値は国内外で見当たらないが，5.5，6.0，7.0 mg/dL などのカットオフ値が文献的には用いられている．しかし，小児では年齢とともに血清尿酸値は上昇するので[1,2]，乳児期から思春期に至る一律のカットオフ値を設定するのではなく，年齢を考慮した基準値を用いるのが妥当である．健康な小児を対象としたものではないが，軽症感染症，種々の検査入院や耳鼻科，眼科等の手術患者で血清尿酸値に異常をきたさないと考えられる患者を対象として作成された基準値を表1に示す[2]．なお，男児の血清尿酸値が有意に女児を上まわる年齢については，過去の報告では若干の差がみられるが，およそ13～15歳と考えられる.

2 高尿酸血症を呈する疾患

小児期に高尿酸血症を呈する疾患の一覧を表2に示す．多くの疾患は成人期とオーバーラップするが，小児期の特徴を以下に記す.

1）痛風

加藤らの2008～2012年度の5年間における18歳以下の痛風患者実態調査によると，痛風患者の報告はわずか11例であった[3]．その特徴として，男子に多い（男：女＝9：2），思春期発症および何らかの基礎疾患をもつ患者がほとんどであったことがあげられる．イギリスのデータベースの成績では，男女とも25万人近い数を対象にし，25歳未満の痛風患者数は男子12例，女子1例であった[4]．以上より，小児期・思春期の痛風はきわめてまれであるといえる.

2）急性疾患

①急性胃腸炎

急性胃腸炎は，小児期に高尿酸血症をきたす疾患のなかで最も頻度の高いものである[2]．なかでも消化管障害の強いロタウイルス感染症に高率に発症し，乳幼児に多いこと，血清尿酸値はほかの胃腸炎に比して高く10 mg/dL を超えることもまれではないことが報告

表1 血清尿酸値の年齢別基準値

年齢（歳）	～1	1～3	4～6	7～9	10～12	13～15	
	（男女差なし）					男児	女児
平均（mg/dL）	2.9	3.3	3.6	4.2	4.3	5.6	4.4
標準偏差	0.87	0.76	0.95	0.85	0.91	0.71	0.88
上限値*（mg/dL）	4.7	4.9	5.5	5.9	6.2	7.0	6.2

*：平均値＋2標準偏差で切り上げ設定.
〔久保田優：小児科領域の高尿酸血症．痛風と核酸代謝 33：37-43, 2009　より改変〕

されている[5]．胃腸炎における高尿酸血症は，脱水による循環血液の減少が主原因と考えられる．輸液により急速に血清尿酸値は低下するため，尿酸降下薬の投与は不要である．近年，新しい尿酸排泄のトランスポーターとしてABCG2が発見された．この蛋白の機能異常をきたす遺伝子多型が日本人に高頻度で認められることから，ロタウイルス感染症による高尿酸血症の発症率が日本人に高いことと関連しているのではないかと考えられ[6]，実際にABCG2遺伝子変異がある急性胃腸炎の患児血清尿酸値の有意の上昇が報告されている[7]．

②気管支喘息

気管支喘息の患児において血清尿酸値は高値を示す傾向があり，特に大発作時に血清尿酸値が上昇する傾向がある．喘息発作時の脱水やアシドーシスが関与するという説があるが，その原因は明らかではない．治療薬として用いられるテオフィリンにも血清尿酸値を上昇させる作用が報告されており，発作時にテオフィリンを用いる場合は血清尿酸値に注意が必要である[8]．

③腫瘍崩壊症候群

小児期の造血系腫瘍（白血病・リンパ腫）は，一般に発症時の腫瘍量が大きく，また化学療法に対する感受性が高い．そのため，化学療法により細胞死をきたした腫瘍細胞から，核酸やリンなどの代謝産物が短時間に大量に細胞外液中に排出され，高尿酸血症を含む腫瘍崩壊症候群（TLS）をきたしやすい．わが国の小児白血病・リンパ腫ガイドラインでは，造血系腫瘍をTLSリスクから3つの群に分け，予防策として，①高リスク群：ラスブリカーゼ製剤（0.2 mg/kg，1日1回最大7日間），②中リスク群：アロプリノール（10 mg/kg/日，分3経口）と尿アルカリ化，③低リスク群：輸液のみ，を治療12時間前から行うことを推奨している[9]．

表2 小児期に高尿酸血症を呈する疾患および病態

(1) 症候性
1. 急性疾患
 a） 胃腸炎（特にロタウイルス感染症）
 b） 気管支喘息（特に発作時）
 c） 腫瘍崩壊症候群（TLS）（急性白血病，悪性リンパ腫の寛解導入療法時）
 d） 溶血性貧血（溶血発作時）
2. 慢性疾患
 a） 痛風
 b） ダウン症候群
 c） 先天性心疾患（特にチアノーゼ型）
 d） 慢性腎疾患（CKD）
 e） 甲状腺機能低下症
 f） 先天代謝異常症
  プリン代謝酵素（HGPRT欠損*1・低下，ホスホリボシルピロリン酸〈PRPP〉合成酵素亢進）
  筋肉代謝酵素（グルコース-6-フォスファターゼ欠損*2，ホスホフルクトキナーゼ欠損*3）
 g） 家族性若年性高尿酸血症性腎症（FJHN）
(2) 非症候性
1. 肥満
2. 過食（特にプリン体を多く含む食品）
3. 激しい運動
4. 薬物性
 a） テオフィリン
 b） 抗てんかん薬（テグレトール，バルプロ酸等）
 c） 免疫抑制薬（シクロスポリン，タクロリムス）
 d） 利尿薬（フロセミド，サイアザイド系）

*1：Lesch-Nyhan症候群，*2：von Gierke病，*3：Tarui病.

3） 慢性疾患

①ダウン症候群

ダウン症候群では思春期以降に高尿酸血症をきたしやすい[10]．しかし，年齢別の基準値を用いた研究から幼児期から高尿酸血症が高頻度でみられることが明らかとなった[11]．肥満，運動不足や偏った食事などが原因とされているが確証はない．壮年期には，痛風や腎障害のリスクが高いためアロプリノールを使用する例も多い．

②先天代謝異常症

表2に示す先天代謝異常症は尿酸産生過剰型の高尿酸血症をきたす．疾患特有の症状（たとえばLesch-Nyhan症候群では自傷行為や発達遅滞）を呈する以前から高尿酸血症がみられることが多い．乳幼児期に原因不明の高尿酸血症がみられた場合は，これらの疾患を考慮に入れるべきである．

③先天性心疾患

先天性心疾患（特にチアノーゼ型）で高尿酸血症がみられる場合がある[12]．多血症により増加した赤血球の崩壊や，低酸素症によるATP異化亢進が原因とされる．

3 肥満と生活習慣病

1） 肥満およびメタボリックシンドローム

文部科学省の調査によると，小児肥満は1970年頃より著しい増加をみたが2006年度からやや減少傾向にある．2015年の統計では14歳児のおよそ7.5%が肥満であり，その率は男児が女児よりやや高い．肥満小児において高尿酸血症の頻度が一般の集団より高いことは，国内外でエビデンスをもって認められている[13-17]．わが国の肥満小児における高尿酸血症の割合は，肥満や高尿酸血症の定義によるが，およそ男児では30%前後，女児では10%超と報告されている[14-16]．一般集団と異なり女児でもかなり高い頻度で高尿酸血症が観察されるのが特徴である．

海外の報告で，高尿酸血症は一般集団においてメタボリックシンドロームの有病率と関連することが明らかになっている[18,19]．Fordらは血清尿酸値が4.9 mg/dLを超えると有意にメタボリックシンドロームの有病率が高まるとしている[18]．一方，わが国の6～15歳の肥満小児を対象にした研究で，メタボリックシンドロームの罹患率は，血清尿酸値高値群37.1%，血清尿酸値正常群15.6%と有意の差がみられた[15]．1,559人の肥満小児（6～15歳）において，血清脂質は血清尿酸値と正の相関を示すこと，血清尿酸値のメタボリックシンドローム発症を予測する閾値は男児5.25 mg/dL，女児は5.05 mg/dLであると報告された[16]．

2） 生活習慣病発症との関連

Bogalusa Heart Studyに登録された5～17歳小児の12年以上に及ぶ追跡調査では，血清尿酸値の上昇は小児期やそれに続く成人期の血圧上昇の独立した危険因子であることが明らかになった[20]．海外では，そのほかにも小児期の高尿酸血症と高血圧発症の関連の研究報告は散見され，小児期の高尿酸血症は思春期・成人期の血圧上昇の危険因子となる可能性が示唆されている．また，Rodenbachらは，600人を超える8～12歳の小児を5年以上追跡調査し，初診時の高尿酸血症は慢性腎臓病（CKD）進行の危険因子であったと指摘している[21]．わが国では，小児期の高尿酸血症を一定期間追跡し，高血圧を含む生活習慣病発症への影響を検討したコホート研究は見当たらない．

4 治療

1） 薬物治療

小児期の痛風を含む症候性高尿酸血症に対して，尿酸降下薬（特にアロプリノール）を使用し有効とした症例報告は多いが，投与方法に関するエビデンスはない．わが国で開発されたフェブキソスタットを腎障害を伴う高尿酸血症患者に投与し，有効かつ安全であったという報告が近年みられる[22]．フェブキソスタットについては，わが国において，痛風を含む高尿酸血症の小児患者を対象とした有効性，安全性と薬物動態を評価する非盲検，非対照多施設共同試験が進行中である．また，思春期において血清尿酸値を低下させる治療がその後の血圧上昇を抑えるという研究報告から[23,24]，高尿酸血症患者の思春期からの治療が，高血圧発症の予防につながる可能性を示している．

2） その他の治療

小児期の無症候性高尿酸血症の主たる原因は肥満であり，肥満に対する栄養療法や運動療法が有効であると考えられる．これらの療法は，特に両者を併用した場合，体重減少だけでなく血糖値や脂質値の改善に繋がることが報告されている[25]．しかし，血清尿酸値への直接の影響を検討した研究は見当たらない．

おわりに

今後の課題として，①小児高尿酸血症を診断する年齢を考慮したカットオフ値の設定，②肥満小児を中心とした高尿酸血症の成人期へのトラッキングと生活習慣病発症との関連の研究，③種々の尿酸降下薬の小児患者への適用の妥当性，があげられる．小児科と内科との連携や多施設共同の疫学的研究によるエビデンスの集積が望まれる．

文献

1) Clifford SM, Bunker AM, Jacobsen JR, *et al.* : Age and gender specific pediatric reference intervals for aldolase, amylase, ceruloplasmin, creatine kinase, pancreatic amylase, prealbumin, and uric acid. *Clin Chim Acta* **412** : 788-790, 2011
2) 久保田優：小児科領域の高尿酸血症．痛風と核酸代謝 **33** : 37-43, 2009
3) 加藤玲奈，久保田優，東山幸恵，他：小児期および思春期に発症した痛風に関する全国調査．痛風と核酸代謝 **38** : 43-48, 2014
4) Mikuls TR, Farrar JT, Bilker WB, *et al.* : Gout epidemiology : results from the UK General Practice Research Database, 1990-1999. *Ann Rheum Dis* **64** : 267-272, 2005
5) 松永健司：ウイルス性胃腸炎患児急性期の尿酸値測定とその意義．小児科臨床 **69** : 1221-1228, 2016
6) Kaneko K, Kimata T, Tsuji S : Genetic predisposition to hyperuricaemia in rotavirus gasto-enteritis. *Paediatr Int Child Health* **35** : 165, 2015
7) Matsuo H, Tsunoda T, Ooyama K, *et al.* : Hyperuricemia in acute gastroenteritis is caused by decreased urate excretion via ABCG2. *Sci Rep* **6** : 31003, 2016
8) Shimizu T, Morikawa A, Maeda S, *et al.* : Effect of theophylline on serum uric acid levels in children with asthma. *J Asthma* **31** : 387-391, 1994
9) 日本小児血液・がん学会（編）：支持療法，腫瘍崩壊症候群の標準的治療は何か．小児白血病・リンパ腫の診療ガイドライン．113-115, 2011
10) Pant SS, Moser HW, Krane SM : Hyperuricemia in Down's syndrome. *J Clin Endocrinol Metab* **28** : 472-478, 1968
11) Kashima A, Higashiyama Y, Kubota M, *et al.* : Children with Down's syndrome display high rates of hyperuricaemia. *Acta Paediatr* **103** : e359-364, 2014
12) Martínez-Quintana E, Rodríguez-González F : Hyperuricaemia in congenital heart disease patients. *Cardiol Young* **25** : 29-34, 2015
13) 遠藤洋臣：高尿酸血症と痛風，小児の高尿酸血症．診断と治療 **84** : 909-913, 1996
14) 小山千嘉子，高橋 勉，小山田美香，他：小児内分泌学の進歩2006．児童生徒における肥満と尿酸値の関係．ホルモンと臨床 **54** : 1031-1036, 2006
15) 豆本公余，久保田優，小嶋千明，他：肥満小児のメタボリックシンドローム診断における血清尿酸値の有用性．痛風と核酸代謝 **36** : 113-120, 2012
16) Ishiro M, Takaya R, Mori Y, *et al.* : Association of uric acid with obesity and endothelial dysfunction in children and early adolescents. *Ann Nutr Metab* **62** : 169-176, 2013
17) Denzer C, Muche R, Mayer H, *et al.* : Serum uric acid levels in obese children and adolescents : linkage to testosterone levels and pre-metabolic syndrome. *J Pediatr Endocrinol Metab* **16** : 1225-1232, 2003
18) Ford ES, Li C, Cook S, *et al.* : Serum concentrations of uric acid and the metabolic syndrome among US children and adolescents. *Circulation* **115** : 2526-2532, 2007
19) Lee MS, Wahlqvist ML, Yu HL, *et al.* : Hyperuricemia and metabolic syndrome in Taiwanese children. *Asia Pac J Clin Nutr* **16** (**suppl 2**) : 594-600, 2007
20) Alper AB, Chen W, Yau L, *et al.* : Childhood uric acid predicts adult blood pressure : The Bogalusa Heart Study. *Hypertension* **45** : 34-38, 2005
21) Rodenbach KE, Schneider MF, Furth SL, *et al.* : Hyperuricemia and Progression of CKD in Children and Adolescents : The Chronic Kidney Disease in Children (CKiD) Cohort Study. *Am J Kidney Dis* **66** : 984-992, 2015
22) 山口玲子，藤田直也，山川 聡，他：小児の高尿酸血症患者におけるフェブキソスタットの治療効果の検討．日児腎誌 **160** : 2016
23) Soletsky B, Feig DI : Uric acid reduction rectifies prehypertension in obese adolescents. *Hypertension* **60** : 1148-1156, 2012
24) Assadi F : Allopurinol enhances the blood pressure lowing effect of enalapril in children with hyperuricemic essential hypertension. *J Nephrol* **27** : 51-56, 2014
25) 日本肥満学会（編）：小児肥満症の治療，小児肥満症診療ガイドライン 2017．ライフサイエンス出版，51-61, 2017

第2章 治療

14 医療経済の視点と高尿酸血症・痛風の治療ガイドライン

要点

- ACR，EULAR のガイドラインやオーストラリア・ニュージーランドからの推奨でもコストが意識されており，特に EULAR のガイドラインではより強調されている．
- 本ガイドラインの改訂作業において，今後は費用や費用対効果といった観点の重要性が増してくることが予想される．

Minds では，診療ガイドラインを次のように定義している[1)]．

「診療上の重要度の高い医療行為について，エビデンスのシステマティックレビューとその総体評価，益と害のバランスなどを考量して，患者と医療者の意思決定を支援するために最適と考えられる推奨を提示する文書」

ここには明確に医療経済評価について記載はないが，「最適」という文言のなかに患者の経済的負担を考えなければならない状況がありえる．たとえば，「関節リウマチ診療ガイドライン 2014」[2)] においては，各医薬品の日本における「薬価」がその医薬品を本ガイドラインに収載するかどうかを決定する1つの要素として使われた．

ただし，本書のような治療ガイドラインに医療経済的な考え方をもちこむことには抵抗がある方もおられるかもしれないので，医療経済という考え方の基礎になる医療経済学について最初に紹介したい．

図1にあるように，医療はさまざまな学問に支えられている．その主たるものは一定の原理に従って，体系的に組織化された知識や方法である，つまり学問である医学であることはいうまでもない．さらに，医学の応用である医療においても，「根拠に基づく医療（EBM）」の導入により，「医療」は限りなく学問（科学）に基づくものとなってきている．

問題は，医療の可能性は無限であるが医療を行うのには，お金が必要であるということである．医学の研究は誰でも行うことができるが，医療は（主に）医師が行うものである．つまり制限が加えられている．これは，医療を行うことには制限があるということである．同じように，金銭面からどんな医療を行うべきかあるいは行われているのかを分析する必要性があり，そのための学問の必要性が生まれた．これが医療経済学の1分野である「医療技術評価（HTA）」となる．ここでは医療技術とするが，薬物もこの範疇に含まれる．

1 医療技術評価の手法

HTA は医療サービスの各新技術を医療保険でカバーすべきかについての判断指標となったり，医療技術の値段を決めたりする手法として位置づけられている．代表的な手法は以下に記す．

1） 費用効果分析

費用効果分析は CEA と略される．この手法は，費用に対する医療行為により生じる平均余命の伸び等の自然的単位を効果として測る方法である．

2） 費用効用分析

費用効用分析は CUA と略される．前述した CEA のような客観的指標に加えて，QOL を考慮した平均余命の伸び（QALY）を用いることが多い．すなわち，健康状態によって，同じ生存であっても QOL が異なるとの考えに基づく．具体的には，完全に健康な状態を1にして，たとえば失明していると 0.5 であると仮定する．そして，健康状態の 0 ～ 1 を係数として年数を乗じて効果と評価する．ただし，個人の感じ方の違いを表現することは難しく一貫性に欠けるとされ，効用の個人間比較が困難との指摘もある．

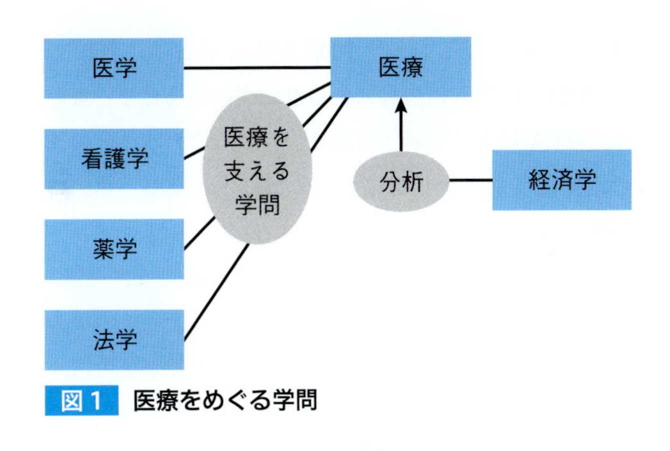

図1 医療をめぐる学問

3) 費用便益分析

費用便益分析はCBAと略される．ほかの分析方法より応用範囲が広い．たとえば，公共投資が社会に及ぼすすべての利益・損失を貨幣価値で測定し，便益が費用に見合っているかを計算する．私企業の意思決定にも売上高など私的便益と私的費用を比較するかたちで応用できる．また，社会全体の意思決定では，社会的便益と社会的費用を比較する．たとえば，道路を建設するのであれば，便益として，節約時間/自動車の運行費用の節減，事故の回避・緩和/既存道路の混雑軽減としたりする．その一方で費用として，建設費用/追加的維持費，料金徴収費などを計算し，便益と費用の差で計算することになる．ここで，費用には機会費用（opportunity cost）すなわち，ある選択を行うことにより失ったもののうちで最大の価値をもつものの価値を含むことに注意を要する．機会費用の考え方は，ある制約（時間や予算）の下で最大の成果を考える場合には欠くことができない経済学的な考え方になる．また，医療の場合には，便益とは，自発的支払額，すなわち，消費者がその行為に自発的に支払ってもよい最高額，自発的支払水準（willingness to pay：WTP）で計算する．ただし，この分野の場合には，便益や損失を貨幣価値に換算することが難しく正確さに欠けるという批判がある．

4) 費用最小化分析

費用最小化分析はCMAと略される．同一の効用をもたらす医療のなかで最も費用の安いものを分析する手法である．

以上1）～4）までの4つのような費用効果分析を薬物に対する経済的な意思決定に用いる分析を薬物（医薬）経済学という．たとえば，当該医薬品を投与した場合に発生する費用と結果を明確化し，異なる治療プログラムを比較する場合がこれにあたり，簡単にいえば費用対効果を考える根拠，意思決定でいえば，費用対効果を考えて治療を選択する根拠になり，最近では，高額な薬物についての評価などで注目されている．

2 高尿酸血症・痛風の治療との関連

わが国では医薬品・医療機器を対象とした費用対効果評価の試行的導入が2016年に開始され，2018年4月には，試行的導入の評価対象品目（13品目）に対して実際に費用対効果に基づく価格調整も実施された．2018年6月に閣議決定された「経済財政運営と改革の基本方針2018年」（いわゆる“骨太の方針”）では，「費用対効果評価については本格実施に向けてその具体的内容を引き続き検討し，2018年度中に結論を得る」と記されるのと同時に，新規医薬品や医療技術の保険収載の判断に費用対効果や財政影響などの経済性評価が活用される可能性も示唆されている．これからのわが国の医療行政において医療技術に対する費用対効果評価が大きな役割を果たすことは間違いないが，海外ではすでに多くの国で，医療技術の償還可否判断等の意思決定などに費用対効果などの経済性を考慮している．また，それに対応して，諸外国の臨床ガイドラインでは，費用や費用対効果に言及するものも多い．

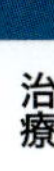

1) ガイドラインとの関連

2012年の米国リウマチ学会（ACR）ガイドライン[3]では，推奨治療の判断の条件に経済性は含まれていないが，英国国立医療技術評価機構（NICE）において独立したエビデンスレビューグループによる費用分析の評価により，高額なフェブキソスタットは，アロプリノールに対して禁忌や不耐性の痛風患者の尿酸降下療法に推奨されるべきと結論づけられたことが紹介されている．また，生物学的製剤の増加が予想される本領域における費用対効果評価の重要性が示唆されている．

オーストラリア・ニュージーランドの医師等による推奨文[4]では，アロプリノールがファーストライン治療として推奨されているが，そこでは効果，安全性とともに費用が考慮されていた（費用対効果については十分な情報なしとされている）．

欧州リウマチ学会（EULAR）によるガイドライン[5]は前述2つのガイドラインと比べて最も費用対効果を

意識したものになっており，アウトカム指標としてeconomic evaluationが考慮されている．費用対効果評価では効果指標としてQALYが用いられ（QALYが利用不可の場合は血清尿酸値のような疾患特異的な指標が用いられた），費用対効果の評価指標は，増分費用効果比（ICER）が用いられている．ICERとは比較対照治療に対して評価対象治療が効果1単位を獲得するために必要となる追加費用を意味する．

2） アロプリノールの医療経済

アロプリノールは適切な長期的な尿酸降下療法として推奨されているが，実際にアロプリノールを対象に行われた経済分析の結果が示されている．アロプリノールは非薬物治療よりも効果（年間発作回避率）が大きいが，費用もより多く必要とする．そこでICER（避けられた急性期発作1回あたり追加費用）を計算すると点推定値は247.4ドル／避けえた発作，感度分析による幅は99.59ドル／避けえた発作～489.26ドル／避けえた発作となった．これは，アロプリノールの服用患者は，追加的な急性期発作を避けるために99.59ドル～489.26ドル要することを示すが，もし年間3回以上発作を起こすような患者の場合，アロプリノールによる治療はむしろ費用削減をもたらす結果になるとしている．結論として，アロプリノールは慢性的な痛風に対する長期管理の方法として費用効果的な治療であるとされている．

3） HTAの今後

今回取り上げた海外の3つのガイドライン等ではいずれも費用や費用対効果を考慮しているものの，位置づけはガイドラインごとに異なり，EULARのガイドラインが最も費用や費用対効果を考慮したものであった．諸外国では欧州が最も積極的に費用対効果を医療行政に活用しており，EULARでも参照されたイギリスのNICEにおける取組みはその代表的なものである．EULARのガイドラインにおける費用対効果の扱いが際立っているのも欧州のこのような環境が影響しているものと考えられる．

費用対効果に加え，追加的な臨床的有効性・安全性，財政への総合的な影響などを考慮して医療技術の償還可否などを判断するHTAは，欧州のみならずさまざまな国での導入が進んでいる．HTAの国際学会（HTAi）も存在し，毎年開催される年会は，各国のHTA担当機関・担当者同士の意見交換の場となっている．HTAによる判断（償還可否判断など）は，その国の医療制度や財政状況に大きく依存するため，他国の判断を日本に適応することはできない．

近年，さまざまな疾患領域において革新的な医薬品・医療機器の開発が進んでいるが，それらは多くの場合非常に高額である．健康改善の点では患者や社会に大きな恩恵をもたらす半面，財政的には大きな負担となる．このような医療技術の価格づけや保険償還判断は今後のわが国の医療行政において大きな課題となることは間違いないが，臨床ガイドラインの開発においても，治療の推奨判断において経済性を考慮するのかどうか，考慮するのであればどのように考慮するのかは，今後の大きな検討課題となることが予想される．

おわりに

ACR，EULARのガイドラインやオーストラリア・ニュージーランドからの推奨でもコストが意識されており，特にEULARのガイドラインではより強調されている．

日本では2016年から医薬品・医療機器を対象とした費用対効果評価が試行的に導入され，いよいよ医療行政における費用対効果の評価が開始された．

本ガイドラインの改訂作業において，今後は費用や費用対効果といった観点の重要性が増してくることが予想される．

文　献

1） 福井次矢，山口直人監：Minds診療ガイドライン作成の手引2014．医学書院，2014
2） 日本リウマチ学会（編）：関節リウマチ診療ガイドライン2014．メディカルレビュー社，2014
3） Khanna D, Fitzgerald JD, Khanna PP, *et al.* : 2012 American College of Rheumatology guidelines for management of gout. Part 1 : systematic nonpharmacologic and pharmacologic therapeutic approaches to hyperuricemia. *Arthritis Care Res (Hoboken)* **64** : 1431-1446, 2012
4） Graf SW, Whittle SL, Wechalekar MD, *et al.* : Australian and New Zealand recommendations for the diagnosis and management of gout : integrating systematic literature review and expert opinion in the 3e Initiative. *Int J Rheum Dis* **18** : 341-351, 2015
5） Zhang W, Doherty M, Bardin T, *et al.* : EULAR evidence based recommendations for gout. Part II : Management. Report of a task force of the EULAR Standing Committee for International Clinical Studies Including Therapeutics (ESCISIT). *Ann Rheum Dis* **65** : 1312-1324, 2006

付　録

付録　尿酸降下薬一覧表 (2022年1月現在)

薬効分類	一般名	商品名	剤型	規格	1日薬価（2022年1月現在）	痛風および高尿酸血症の用法用量* 常用量 >80 70 60（G1≧90）G2 正常または軽度低下	腎機能別投与量 GFR または C_{Cr}（mL/分） 50 G3a 軽度～中等度低下	40 30 G3b 中等度～高度低下	20 G4 高度低下	10> G5 末期腎不全	HD/PD*	主な消失経路	禁忌**
尿酸排泄促進薬（非選択的尿酸再吸収阻害薬）	プロベネシド	ベネシッド®	錠	250 mg	19.6～78.4円	500～2,000 mg/日，維持量として1,000～2,000 mg/日 2～4回分服	常用量（ただし少量から開始）	禁忌（尿中尿酸排泄量の増大により症状を悪化させるおそれがある．慢性腎不全〈特に糸球体濾過値30 mL/分以下〉の患者には無効とされている）				肝 主にグルクロン酸抱合体	・腎臓結石症 ・高度の腎障害 ・血液障害 ・2歳未満の乳児
	ブコローム	パラミヂン®	カプセル	300 mg	12.9～38.7円	300～900 mg/日 1～3回分服	腎機能障害のリスクが高い患者では漫然と投与しない	禁忌（腎障害を悪化させるおそれがあるため）			透析患者では尿酸排泄作用の効果は期待できない	肝 主な代謝酵素（CYP2C9） 尿中未変化体排泄率25%（BA不明）	・消化性潰瘍 ・重篤な血液の異常 ・重篤な肝障害 ・重篤な腎障害 ・アスピリン喘息（既往歴含む）
	ベンズブロマロン	ユリノーム®	錠	25 mg/50 mg	11.6～69.6円（25 mg錠）	†25～150 mg/日 1～3回分服	常用量（ただし少量から開始）	***	尿酸排泄促進薬のため，尿量が減少した重度腎機能障害患者では効果が期待できないため禁忌（C_{Cr} ≦ 30 mL/分または S_{Cr} ≧ 2.0 mg/dL では尿酸合成阻害薬を選択）			肝 主な代謝酵素（CYP2C9）	・肝障害のある患者 ・腎結石を伴う患者 ・高度の腎機能障害のある患者 ・妊婦または妊娠している可能性のある女性

*：腎機能用量に関しては日本腎臓病薬物療法学会（編）：腎機能別薬剤投与法一覧．日本腎臓病薬物療法学会誌特別号：S34-37，2020，日本腎臓病薬物療法学会（編）：日本腎臓病薬物療法学会誌 **9**：298-299，2020 参照．
**：過敏症はすべてに共通のため記載していない．
***：症例により個別に判断を要する．

相互作用					重大な副作用	主な注意事項
本剤への影響		相手薬への影響		副作用増強のおそれ		
血中濃度上昇または作用増強のおそれ	血中濃度低下または作用減弱のおそれ	血中濃度上昇または作用増強のおそれ	血中濃度低下または作用減弱のおそれ			
–	サリチル酸系薬剤（アスピリン等）	インドメタシン，ナプロキセン，ジドブジン，経口糖尿病用剤（スルホニルウレア系，スルホニルアミド系），パントテン酸，セファロスポリン系抗生物質，ペニシリン系抗生物質（アンピシリン水和物等），アシクロビル，バラシクロビル塩酸塩，ザルシタビン，ガチフロキサシン水和物，ジアフェニルスルホン，メトトレキサート，経口抗凝血剤（ワルファリン），サルファ剤，ガンシクロビル，ノギテカン塩酸塩	–	–	溶血性貧血，再生不良性貧血，アナフィラキシー様反応，肝壊死，ネフローゼ症候群	・急性痛風発作が治まるまで投与を開始しないこと ・投与初期に尿酸の移動により痛風発作の一時的な増強をみることがある ・投与中に痛風が増悪した場合には，コルヒチン，インドメタシン等を併用すること ・尿が酸性の場合，痛風患者に尿酸結石およびこれに由来する血尿，腎仙痛，肋骨脊椎痛等の症状を起こしやすいので，これを防止するために，水分摂取による尿量の増加および尿のアルカリ化をはかること．なお，この場合には，患者の酸・塩基平衡に注意すること
–	–	ワルファリン	–	–	中毒性表皮壊死融解症（TEN），皮膚粘膜眼症候群（Stevens-Johnson 症候群）	・感染症を不顕性化するおそれがあるので，感染による炎症に対して用いる場合には適切な抗菌剤を併用し，観察を十分行い慎重に投与すること ・妊婦または妊娠している可能性のある女性に投与する際は必要最小限にとどめ，適宜羊水量を確認するなど慎重に投与する（妊娠末期には投与しないことが望ましい）
–	ピラジナミド サリチル酸製剤（アスピリン等）	ワルファリン	–	–	重篤な肝障害	・投与開始前に肝機能検査を実施すること ・投与開始後少なくとも6か月間は必ず，定期的な肝機能検査を行い，6か月以降も定期的に肝機能検査を行うこと ・尿の酸性化を防止するため，水分の摂取による尿量の増加および尿のアルカリ化をはかること

‡：推奨される1日投与量と投与法は 25 ～ 100 mg，1 ～ 2 回分服．

付録

薬効分類	一般名	商品名	剤型	規格	1日薬価（2022年1月現在）	痛風および高尿酸血症の用法用量*						主な消失経路	禁忌**
						常用量	腎機能別投与量 GFR または C_{Cr}（mL/分）				HD/PD		
						>80 70 60 (G1≧90) G2 正常または軽度低下	50 G3a 軽度～中等度低下	40 30 G3b 中等度～高度低下	20 G4 高度低下	10> G5 末期腎不全			
尿酸排泄促進薬（選択的尿酸再吸収阻害薬）	ドチヌラド	ユリス	錠	0.5 mg/1 mg/2 mg	30～240円（0.5 mg錠）	0.5～4 mg/日 1回服用	常用量（腎機能正常者と同じ）		有効性が減弱する可能性がある．特に乏尿または無尿の患者においては，有効性が期待できないことから，投与は避ける			主にグルクロン酸抱合体および硫酸抱合体	なし
尿酸生成抑制薬（プリン型XOR阻害薬）	アロプリノール	ザイロリック®	錠	50 mg/100 mg	37.8～56.7円（100 mg錠）	‡‡200～300 mg/日 2～3回分服	100 mg/日 1日1回		50 mg/日 1日1回		HD患者：週3回透析後100 mg PD患者：50 mg/日 1日1回	活性代謝物オキシプリノールが腎排泄性（腎排泄率70%）	なし
尿酸生成抑制薬（非プリン型XOR阻害薬）	フェブキソスタット	フェブリク®	錠	10 mg/20 mg/40 mg	27.3～93.7円（通常量）	通常10～40 mg/日 1日1回（最大60 mg/日）	常用量（腎機能正常者と同じ）					肝 主にグルクロン酸抱合体	6-メルカプトプリン水和物またはアザチオプリンを投与中の患者
	トピロキソスタット	ウリアデック®	錠	20 mg/40 mg/60 mg	35～94.6円（通常量）	通常40～120 mg/日 1日2回（最大160 mg/日）	常用量（腎機能正常者と同じ）					肝 主にグルクロン酸抱合体（UGT1A9）	6-メルカプトプリン水和物またはアザチオプリンを投与中の患者
		トピロリック®	錠	20 mg/40 mg/60 mg	33.8～101.4円（通常量）（20mg）								
尿酸分解酵素薬	ラスブリカーゼ	ラスリテック®	注射	1.5 mg/7.5 mg	例：体重60 kgとして12 mg/日（7.5 mg/V＋1.5 mg/V×3）：89,545円	0.2 mg/kgを1日1回30分以上かけて点滴静注（投与期間は最大7日間）	常用量（腎機能正常者と同じ）					組織で分解	グルコース-6-リン酸脱水素酵素（G6PD）欠損の患者またはその他の溶血性貧血を引き起こすことが知られている赤血球酵素異常を有する患者

*：腎機能用量に関しては日本腎臓病薬物療法学会（編）：腎機能別薬剤投与法一覧．日本腎臓病薬物療法学会誌特別号：S34-37，2020，日本腎臓病薬物療法学会（編）：日本腎臓病薬物療法学会誌 9：298-299, 2020 参照．
**：過敏症はすべてに共通のため記載していない．
***：症例により個別に判断を要する．

相互作用					重大な副作用	主な注意事項
本剤への影響		相手薬への影響		副作用増強のおそれ		
血中濃度上昇または作用増強のおそれ	血中濃度低下または作用減弱のおそれ	血中濃度上昇または作用増強のおそれ	血中濃度低下または作用減弱のおそれ			
–	ピラジナミド サリチル酸製剤(アスピリン等)	–	–	–	–	・投与初期に尿酸排泄量が増大するため水分の摂取による尿量の増加および尿のアルカリ化をはかること
–	–	メルカプトプリン(6-MP),アザチオプリン,ビダラビン,ワルファリンカリウム,クロルプロパミド,シクロホスファミド,シクロスポリン,フェニトイン,キサンチン系薬剤(テオフィリン等),ジダノシン	–	過敏反応を発現しやすくなる(ペントスタチン,カプトプリル,ヒドロクロロチアジド,アンピシリン)	中毒性表皮壊死融解症(TEN),皮膚粘膜眼症候群(Stevens-Johnson症候群),剝脱性皮膚炎等の重篤な皮膚障害,過敏性血管炎,薬剤性過敏症症候群,ショック,アナフィラキシー,再生不良性貧血,汎血球減少,無顆粒球症,血小板減少,劇症肝炎等の重篤な肝機能障害,黄疸,腎不全,腎不全の増悪,間質性腎炎を含む腎障害,間質性肺炎,横紋筋融解症	・皮膚症状または過敏症状が発現し,重篤な症状に至ることがあるので,発熱,発疹等が認められた場合には直ちに投与を中止し,適切な処置を行うこと ・腎機能に応じて減量した場合,適切に尿酸値を下げられない場合が多い ・*HLA-B*5801*保有者では中毒性表皮壊死融解症(TEN)および皮膚粘膜眼症候群(Stevens-Johnson症候群)等の重症薬疹発症の可能性が高い
–	–	ビダラビン,ジダノシン	–	–	肝機能障害,過敏症	・がん化学療法に伴う高尿酸血症では1日1回60mg
–	–	ワルファリン,ビダラビン,キサンチン系薬剤(テオフィリン等),ジダノシン	–	–	肝機能障害,多形紅斑	–
–	–	–	–	–	(警告)ショック,アナフィラキシー,溶血性貧血,メトヘモグロビン血症	・生理食塩液で希釈(ブドウ糖液を使用しない) ・フィルターを使用しない ・溶解時,振とうしない.著しい沈殿の認められるものは使用しない ・本剤の効能または効果は「がん化学療法に伴う高尿酸血症」である

‡‡:推奨される1日投与量と投与法は100～300 mg,1～3回分服.

<table>
<tr><th rowspan="5">薬効分類</th><th rowspan="5">一般名</th><th rowspan="5">商品名</th><th rowspan="5">剤型</th><th rowspan="5">規格</th><th rowspan="5">1日薬価（2022年1月現在）</th><th colspan="5">*
痛風および高尿酸血症の用法用量</th><th rowspan="5">HD/PD</th><th rowspan="5">主な消失経路</th><th rowspan="5">禁忌**</th></tr>
<tr><th>常用量</th><th colspan="4">腎機能別投与量
GFR または C_{Cr}（mL/分）</th></tr>
<tr><th colspan="5">>80 70 60 50 40 30 20 10></th></tr>
<tr><th>(G1 ≧ 90) G2</th><th>G3a</th><th>G3b</th><th>G4</th><th>G5</th></tr>
<tr><th>正常または軽度低下</th><th>軽度～中等度低下</th><th>中等度～高度低下</th><th>高度低下</th><th>末期腎不全</th></tr>
<tr><td>痛風発作治療薬（痛風・家族性地中海熱治療剤）</td><td>コルヒチン</td><td>コルヒチン</td><td>錠</td><td>0.5 mg</td><td>6.8～54.4円</td><td>痛風発作の緩解：3～4 mg/日（6～8回分服）（なお，痛風発作の治療には1回0.5 mgを投与し，疼痛発作が緩解するまで3～4時間ごとに投与，1日1.8 mgまでの投与にとどめることが望ましい）
発病予防：0.5～1 mg/日
発作予感時：1回0.5 mg</td><td colspan="5">腎障害患者で，強いCYP3A4阻害作用をもつ薬剤またはP糖蛋白阻害をもつ薬剤使用患者で禁忌</td><td>肝
主な代謝酵素（CYP3A4）
グルクロン酸抱合され，腸肝循環する</td><td>・肝または腎障害患者で，強いCYP3A4阻害作用をもつ薬剤またはP糖蛋白阻害をもつ薬剤使用患者
・妊婦または妊娠している可能性のある女性（家族性地中海熱の場合を除く）</td></tr>
<tr><td rowspan="2">尿アルカリ化薬</td><td rowspan="2">クエン酸カリウム・クエン酸ナトリウム</td><td>ウラリット®-U配合散</td><td>散</td><td>配合散（1 g中）：クエン酸カリウム463 mg/クエン酸ナトリウム水和物390 mg</td><td>49.5円（散）</td><td rowspan="2">6錠（散3 g）/日 3回分服（尿検査でpH6.2～6.8の範囲に入るよう投与量を調整）</td><td rowspan="2" colspan="2">***</td><td rowspan="2" colspan="3">高カリウム血症があらわれやすい
血清K値，腎機能等を定期的に検査すること
高カリウム血症では，投与を中止する</td><td rowspan="2">体内で代謝され重炭酸塩となる</td><td rowspan="2">ヘキサミンを投与中の患者</td></tr>
<tr><td>ウラリット®配合錠</td><td>錠</td><td>錠（1錠中）：クエン酸カリウム231.5 mg/クエン酸ナトリウム水和物195.0 mg</td><td>52.2円（錠）</td></tr>
</table>

*：腎機能用量に関しては日本腎臓病薬物療法学会（編）：腎機能別薬剤投与法一覧．日本腎臓病薬物療法学会誌特別号：S34-37，2020，日本腎臓病薬物療法学会（編）：日本腎臓病薬物療法学会誌 **9**：298-299, 2020 参照．
**：過敏症はすべてに共通のため記載していない．
***：症例により個別に判断を要する．

相互作用					重大な副作用	主な注意事項
本剤への影響		相手薬への影響		副作用増強のおそれ		
血中濃度上昇または作用増強のおそれ	血中濃度低下または作用減弱のおそれ	血中濃度上昇または作用増強のおそれ	血中濃度低下または作用減弱のおそれ			
CYP3A4を阻害する薬剤等（強く阻害する薬剤（アタザナビル，クラリスロマイシン，インジナビル，イトラコナゾール，ネルフィナビル，リトナビル，サキナビル，ダルナビル，テリスロマイシン，テラプレビル，コビシスタットを含有する製剤），中等度阻害する薬剤（アンプレナビル，アプレピタント，ジルチアゼム，エリスロマイシン，フルコナゾール，ホスアンプレナビル，ベラパミル），グレープフルーツジュース），P糖蛋白を阻害する薬剤（シクロスポリン）	−	−	−	−	・再生不良性貧血，顆粒球減少，白血球減少，血小板減少 ・横紋筋融解症，ミオパチー ・末梢神経障害	・大量使用による急性中毒症状：服用後数時間以内に悪心・嘔吐，腹部痛，激烈な下痢，咽頭部・胃・皮膚の灼熱感，血管障害，ショック，血尿，乏尿，著明な筋脱力，中枢神経系の上行性麻痺，譫妄，痙攣，呼吸抑制による死亡など ・血液障害，腎障害，肝障害，横紋筋融解症，ミオパチー，末梢神経障害等の異常の有無を定期的な血液検査，生化学検査，尿検査等を施行して注意深く観察 ・長期間にわたる痛風発作の予防的投与は，有用性が少なくすすめられない（血液障害，生殖器障害，肝・腎障害，脱毛等重篤な副作用発現の可能性） ・痛風発作の発現後，服用開始が早いほど効果的である
−	−	水酸化アルミニウムゲル（Alの吸収促進）	ヘキサミン	−	高カリウム血症	・腎機能障害のある患者（K排泄低下により，高カリウム血症になりやすい） ・肝疾患・肝機能障害のある患者（症状悪化） ・尿路感染症の患者（感染の助長） ・リン酸Caは，アルカリ側で不溶性となるので，結石防止のため過度の尿アルカリ化は避けるべきである

一般社団法人 日本痛風・核酸代謝学会は，一般社団法人 日本痛風・尿酸核酸学会に名称を変更しております．

高尿酸血症・痛風の治療ガイドライン 第3版［2022年追補版］

ISBN978-4-7878-2505-6

2022年 3月7日 初版第1刷発行

編 集 一般社団法人 日本痛風・尿酸核酸学会
ガイドライン改訂委員会
発行者 藤実彰一
発行所 株式会社 診断と治療社
〒100-0014 東京都千代田区永田町 2-14-2 山王グランドビル4階
TEL：03-3580-2750（編集） 03-3580-2770（営業）
FAX：03-3580-2776
E-mail：hen@shindan.co.jp（編集）
eigyobu@shindan.co.jp（営業）
URL：http://www.shindan.co.jp/
表紙デザイン 株式会社ジェイアイプラス
印刷・製本 広研印刷株式会社

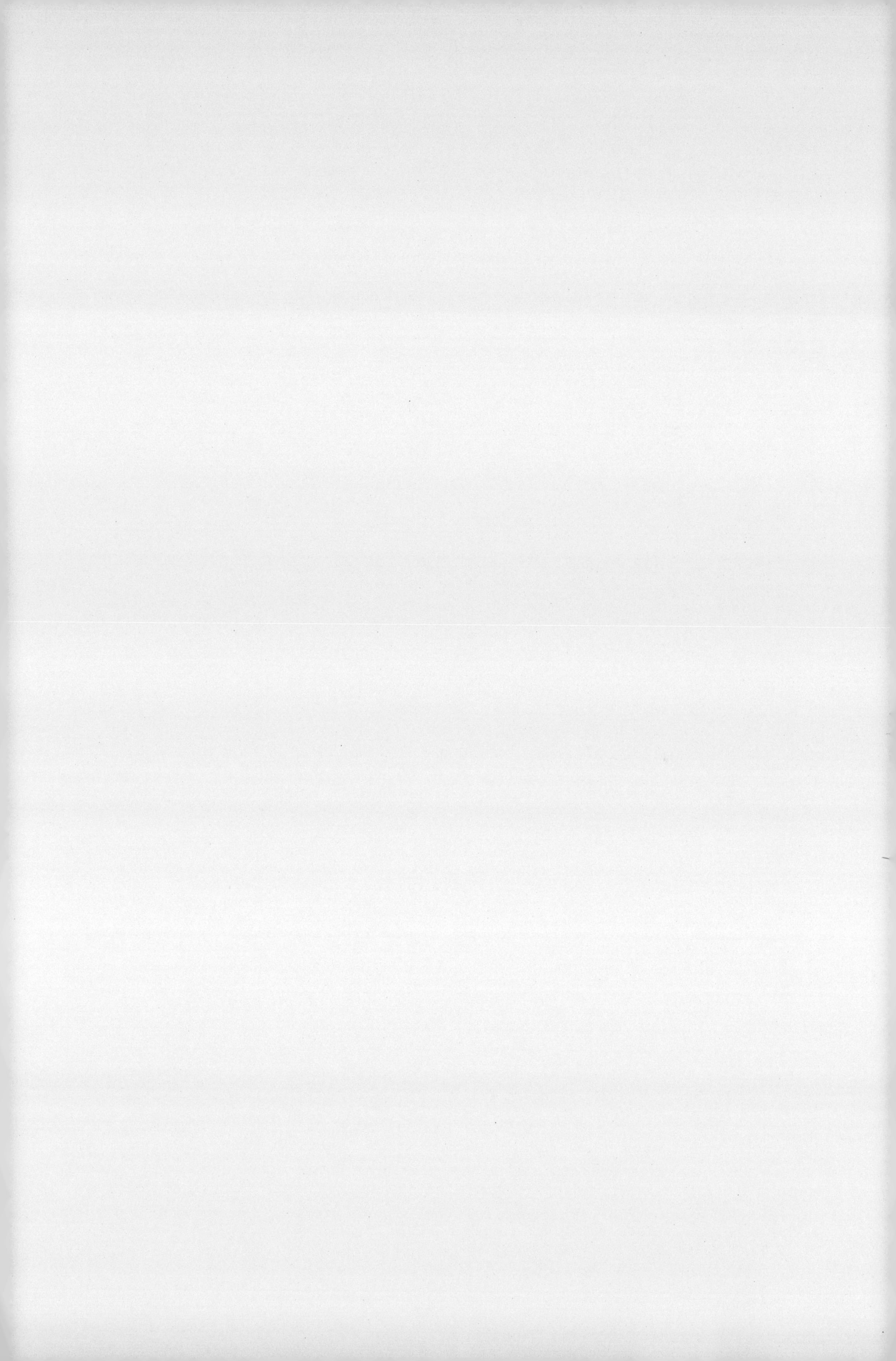